CW00956563

Marc-Arthur Gauthey

IRRESPONSABLES

RÉMANENCE

© Rémanence, 2020

Collection Traces

ISBN 979-10-93552-90-3

Couverture et mise en pages : Marie-Pierre Charbit

Couverture : sommet du mont Blanc © Stéphane Rutard.

« L'enfant est le père de l'homme. »
William Wordsworth

Avant-propos

À force de flirter avec le bout du monde, on finit par lui ressembler. Sauvage, silencieux. Là-bas, je croise des hommes et des femmes aux allures de pionniers, libres d'aller et venir. Ils ont pris la route un jour, ou la mer, car leur ville ou leurs amis ne leur suffisaient plus. Longtemps, ils se sont sentis habités par une inavouable envie d'ailleurs. Chez eux, l'air sent le diesel et le silence est un privilège que l'on réserve aux morts. Au bout du monde, les gens se ressemblent avec leur insatiable appétit d'air frais. Pendant des années, ils ont fait illusion au milieu de la foule, relevé la tête et creusé un sillon en essayant de penser à autre chose. Aimer, travailler, sortir, faire du sport et partir en week-end. Mais ce qui germe en eux, c'est la maladie des grands espaces. Lorsqu'ils ferment les yeux, ils aperçoivent la steppe et les sommets de montagnes qui n'existent pas. Ils en parlent parfois, et leurs proches leur disent qu'ils sont idéalistes, qu'ils finiraient par s'ennuyer, que tout ça va passer. Sales gosses, bourgeois, éternels insatisfaits. Le quotidien les assomme à coups d'images irréelles auxquelles il est interdit de rêver. Mieux vaut se taire.

Mûri à l'ombre d'un arrêt de bus, au fond d'un canapé, dans des romans de gare ou des rediffusions de documentaires animaliers, cet appel du large les attire pourtant plus fort que tout. Et dans les branches des arbres, lorsque souffle le vent, certains voient une invitation au voyage. Un jour, ils cessent de rêver et ils l'acceptent. Un jour, ils s'en vont.

Les rêveurs matérialistes sont des idéalistes raisonnables. La liberté n'a pas de prix, mais cela n'empêche pas de s'en payer quelques tranches. Une maison, une voiture, un beau voyage. Petits plaisirs ou grosses dépenses, ceux-là ont un rapport pragmatique au bonheur qui leur convient tout à fait. Ne manquer de rien, c'est déjà bien plus que nécessaire. Avoir tout, ce serait franchement trop. Mais au bout du monde, les rêveurs sont faits d'une autre ébène. Ils sont restés d'incorrigibles nostalgiques, des cœurs fragiles sous leurs traits de nomades salis de terre et de soleil. Il y a quelque chose de tristement beau à les regarder chercher en vain ce paradis qui n'existe pas. La plupart en sont conscients, alors ils se délectent de l'instant, respirent un grand coup, puis regrettent presque éternellement de voir un beau moment s'envoler.

C'était dans la baie de Luperon, au nord de la République dominicaine, à l'abri des ouragans, au royaume des moustiques. Entre un complexe hôtelier de luxe laissé à l'abandon et la carcasse d'un trimaran géant se trouve une marina boueuse tenue par un petit notable du coin, mi-caïd, mi-mafieux. Là-bas, on devine votre pouvoir de nuisance à la taille de votre 4x4. Le sien est gros. Son garde du corps veille comme un mauvais chien. En affaires un peu partout, il fait travailler une dizaine d'immigrés haïtiens qu'il ne payera jamais. Pas tout à fait esclaves, pas vraiment employés, ces jeunes gars déambulent jour et nuit dans la marina et bricolent ce qu'ils peuvent sur des bateaux pourris.

«J'ai deux mâts, une cuve de mille cinq cents litres et une coque en acier. Avec ça, je fais le tour du monde en passant par Terre-Neuve.» Incrusté dans le décor comme les coquillages sur la coque de sa poubelle flottante, un vieux marin québécois aux airs de Robinson a échoué là son bateau il y a des années. Avec le sel et le temps, les aussières ont fini par se souder aux taquets du ponton. Et le vieil homme devenu fou écume les bars à filles en lieu et place des océans dont il parle. Capitaine courageux sur le déclin, trop libre de hisser les voiles, il patauge mollement au fond d'un verre de scotch en attendant de s'y noyer tout à fait.

Le jour où j'ai rencontré la femme que j'aime, je lui ai dit que nous allions partir. Il faut du courage pour couper ce qui nous lie à nos amis, notre famille et le confort de nos habitudes. Ou de la folie. Folie de partir, folie de rester. Au bout du monde, la liberté est inconfortable et solitaire car le grand air est une prison magnifique dont on ne voit pas les murs. Le bonheur est toujours ailleurs, et un jour, vous n'avez plus la force d'aller le chercher. Libre de bouger, aimer, vivre. Libre de chanter, jouer et boire. Libre d'être ici aujourd'hui, demain là-bas. Il est temps de rentrer. La liberté, ce n'est pas voyager, c'est choisir son port.

Dimanche 2 juillet - 10h15

La corde est bandée comme un arc. À l'autre bout, vingt mètres plus bas, mon frère attend mon signal. Les fesses dans le vide, les pieds à dix heures dix ancrés sur le caillou, je suis en position.

— C'est bon. Tu peux monter !

— OK ! J'arrive !

Les grands espaces avalent les sons, le vent emporte les miettes. Je crie pour me faire entendre et lui en fait autant pour me répondre. J'assure en tête, c'est-à-dire d'en haut, suspendu à une sangle qui enlace un rocher et m'empêche de tomber. Pierre monte comme une limace. Je l'aurais cru plus vif. Je connais ses capacités physiques, elles ne sont pas en cause. D'où je suis, on dirait qu'il pianote sur la faille ou qu'il observe les minéraux à la loupe. Je vois bien ses gestes maladroits, presque gauches. Il n'a pas confiance en ses appuis. Ce n'est pas normal. Sa main flotte sans trouver les prises. Elle tâtonne à l'aveugle, vérifie le socle, hésite, scrute les alentours pour s'assurer qu'il n'y a rien de mieux plutôt que de caresser la roche pour y sentir les scissures, planter les phalanges et bondir. C'est mauvais signe. J'hésite à dire à mon frère qu'il peut y aller car il tergiverse encore, mais plutôt que de le presser, je le laisse prendre son temps et monter à son rythme. Quand il a fini son petit inventaire, il tire enfin sur ses bras de toute sa puissance, pousse sur ses jambes, bombe le buste et se hisse presque à contrecœur en espérant que tout cela tiendra. Ça tient. Aucune chute de pierre non plus. Il souffle un instant, l'air soulagé. Puis tout recommence.

En montagne, il faut avoir confiance en deux choses : son partenaire et son équipement. La pente fatigue et le froid brise, mais c'est la peur du vide et la crainte de tomber qui terrassent l'esprit. Le corps se raidit, les jambes se mettent à trembler, puis le doute s'enracine dans la moelle et la trouille se propage. On s'effondre avant d'avoir osé l'admettre. Le plaisir qu'on était venu chercher devient un supplice inavouable, et lorsqu'on s'en rend compte, il est déjà trop tard.

J'ai repéré le palier où nous pourrons nous reposer. Il est juste au-dessus de mon épaule. Même pas un jet de pierre. Trois coudées tout au plus. Mais les derniers mètres sont les plus difficiles. Ils paraissent infranchissables.

— Allez, tu y es presque !

Les encouragements sont vains. Cela ne devait pas du tout se passer ainsi. J'ai imaginé cette scène des centaines de fois et tout se déroulait sans encombre. Depuis des mois, je révise les nœuds, les mots, les mouvements à faire en prévision de ce jour. J'ai passé des heures à étudier les cartes, apprenant le zigzag des courbes de niveau par cœur jusqu'à en épouser les formes. Je connais chaque sentier qui passe ici par son nom. J'ai parcouru tous les sites internet, recoupé chaque information des dizaines de fois pour m'assurer des distances et des difficultés que nous allions rencontrer. Mais depuis que nous avons enfilé nos casques il y a une heure, chaque mètre que nous gagnons est un calvaire.

Hier encore, dans la moiteur du refuge, je répétais les manœuvres dans ma tête avant de m'endormir, sachant qu'aujourd'hui, je tiendrais la vie de mon grand frère au bout d'une corde. Le jour est venu. C'est la première fois que Pierre doit me faire ainsi confiance. Peut-être ne sommes-nous pas encore prêts à échanger les rôles. Lui se serait fait couper une jambe pour moi si le destin l'avait exigé. J'aimerais lui prouver que j'en ferais autant, mais malgré tous mes efforts, je n'arrive pas à inverser la tendance. Ce n'est pas dans nos habitudes de bousculer l'ordre établi, et manifestement, le jour n'est pas à la remise en cause d'une hiérarchie fraternelle vieille de trente et un ans. De toute façon, aujourd'hui, l'enjeu est trop important. Nous sommes en pèlerinage. Cette montagne est un tombeau.

Suspendu à ma corde, je regarde ce type qui a été mon guide et mon exemple. Celui que je voulais imiter dans à peu près tout ce qu'il entreprenait. Adolescent, je me reposais sur sa capacité à partir en éclaireur. C'est lui qui s'est frotté le premier à l'autorité parentale, envoyant voler quelques portes dans des vociférations tempétueuses pour forcer père et mère à lâcher un peu de lest. L'argent de poche, les horaires, les sorties, le rap, les coupes de cheveux assassines, les pantalons troués, l'alcool, les filles, le shit, les mauvaises notes… Nos géniteurs n'avaient pas tout à fait anticipé l'ampleur du phénomène et durent revoir leur copie en s'asseyant sur quelques grands principes qu'ils pensaient inamovibles. Mon frère servit de cobaye dont l'observation après coup nous fut utile à tous. Après sa traversée de l'adolescence taillée à grand-peine, il me suffisait de me glisser dans la brèche. S'il avait été comme moi, plus sanguin ou belliqueux, nous aurions peut-être eu des rapports plus compétitifs, mais Pierre était un grand frère protecteur. Après la mort de notre père, il se plaça définitivement au-dessus du conflit, droit dans ses bottes et exemplaire, se frayant un chemin dans le monde des grands sans jamais se plaindre ni médire d'autrui. Lorsque nous nous battions plus jeunes, en élève attentif fidèle à ses bons conseils, c'était toujours moi qui mettais le premier coup. «Si quelqu'un t'emmerde», m'avait-il dit un jour, «mieux vaut frapper en premier et t'assurer de faire très mal! Ça te donnera l'avantage.» L'avantage était de courte durée, les cinq années qui nous séparaient se retrouvaient fatalement dans la largeur de nos épaules. Nous nous battions parfois pour un goûter volé, un jouet cassé, un CD rayé, un t-shirt emprunté ou un mot de travers, mais je finissais toujours par capituler dans un flot d'insultes et de noms d'oiseau qui étaient ma façon d'implorer grâce en tâchant de conserver un peu de dignité. Le reste du temps, nous nous entendions vraiment bien.

Du mythe d'Œdipe à celui de Luke Skywalker, tout bon psychanalyste de comptoir fait état de la nécessité quasi cosmique de tuer le père pour devenir un homme. Le nôtre s'est tué tout seul, ce qui ne nous a pas facilité la tâche. Pierre était majeur. Les épaules encombrées d'un droit d'aînesse honorifique au sein d'un clan épris de traditions, il fut catapulté du jour au lendemain au rang d'«homme de la famille». Ce qui l'attendait était un enfer de tâches administratives et de nouveaux rapports avec les adultes qui nous faisaient encore sauter sur leurs genoux quelques années plus tôt. Un décès, c'est beaucoup de peine, et presque autant de paperasse. Un matin de novembre, dans le gel automnal d'un petit cimetière de Saône-et-Loire, les grandes personnes devinrent des *alter ego* qui enfouirent leurs bons sentiments sous une pierre tombale rose et poreuse, à côté du cercueil de notre père. Les gens prévenants meurent avec les beaux jours, pour que le froid détourne la douleur de l'âme de ceux qu'ils laissent. Le gel saisit les larmes à la source. On se réserve des torrents pour plus tard, dans l'intimité chaude d'une chambre fermée à double tour. J'ai le souvenir brillant des cristaux de givre sur mes semelles et de la terre dure au milieu des vignes nues, mais surtout de m'être gelé les orteils ce jour-là.

Durant les années qui ont suivi la mort de notre père, tandis que je me recroquevillais dans l'étuve douillette d'une enfance heureuse d'où je ne voulais pas encore sortir et dont il tentait vainement de me laisser jouir quelque temps encore, Pierre apprit à tenir sa posture et à montrer les dents pour défendre son territoire et protéger son sang. Quant à moi, dans la terre argileuse avec laquelle nous avions couvert le cercueil de papa, la graine était semée, mais elle mit quelques saisons de plus à éclore.

Gauthey, c'est un nom du mâconnais. Nez franc, menton calcaire, voire anguleux, regard décidé, corps puissant, caractère orageux. Pas tout à fait noble ni franchement paysan. Juste assez bourgeois pour faire de bonnes affaires dans le raisin au milieu du XIXe siècle, puis tout perdre au jeu au début du XXe. Enfant, on nous racontait que victime de son penchant pour les belles femmes et les voitures de sport, mon aïeul ruiné avait vendu le château Corton pour éponger ses dettes. Dans la foulée, il aurait bradé les vignes qui aujourd'hui valent une fortune. Je n'ai jamais vérifié l'information, mais j'aime entretenir cette légende pitoyable pour justifier mon tempérament baroque.

Je parviens au sommet de ce couloir vertical pour chercher un coin où passer ma corde avant de redescendre un peu plus bas et de me mettre en position. Les voies sont équipées et bien entretenues, de sorte que je trouve une chaîne où me vacher qui me paraît en bon état. La roche est sèche et la pierre douce. Des conditions idéales. Assurer est un geste simple, le premier qu'on apprend. Le mouvement des bras est mécanique et pendulaire. La première main tire d'un côté pour avaler le mou rendu par le grimpeur qui progresse, pendant que la seconde bloque la corde dans la mâchoire d'un petit objet en métal qu'on appelle reverso. En gardant cette main le long du corps, l'angle créé contient la tension qu'une chute provoquerait et empêche ainsi la corde de glisser au cas où le grimpeur décroche. Lorsque Pierre parvient enfin à ma hauteur, je perçois sous son casque de grosses gouttes de sueur qui perlent sur son visage en lui faisant scintiller le bout du nez.

— Ça va ?

— Ouais, ça va.

Dans le grain de sa voix et à sa façon de regarder autour de lui comme un vieux chien malade, je perçois que quelque chose cloche. Je connais suffisamment mon frère pour savoir qu'il me ment.

— T'es sûr ?

Pierre hésite. Il pose les yeux à l'horizon pour mesurer les répercussions sur le monde de ce qu'il va dire. Depuis ce matin, les aigles supervisent les opérations. Ça nous change des pigeons de la place Stalingrad. Les rapaces planent au-dessus de nous, surfant sur les courants d'air chaud dans un va-et-vient silencieux. Là-haut, planté dans le ciel, le sommet nacré du pic du Midi d'Ossau nous tend les bras, à quelques heures de marche. C'est notre but. En contrebas, juste sous nos pieds, une palette de cuivres verts, et le refuge de Pombie baigné dans son lac, d'où nous sommes partis ce matin. Nous n'avons pas traîné, il est déjà petit comme un pois. Plus loin, le col du Pourtalet mène à l'Aragon. C'est vers là-bas que Pierre porte ses yeux pour ne pas croiser mon regard lorsqu'il ajoute :

— Nan, je ne le sens pas !

Mon frère est un entrepreneur à succès et un père de famille exemplaire. Surfeur confirmé, basketteur assidu, pas franchement le genre de type qui abandonne. Dans le sport pas plus que dans la vie il ne supporte la défaite. C'est ce qui nous différencie. Je n'ai pas l'esprit de compétition, j'ai l'esprit de performance. L'échec peut être héroïque et la victoire futile, c'est la manière et le contexte qui donnent du sens à l'effort. Je me fiche pas mal de gagner ou de perdre tant que c'est à moi que je me mesure. Mais Pierre aime la victoire. Autrefois mon père faisait exprès de perdre au *Mille Bornes* pour éviter ses colères devenues légendaires. Quand il me dit qu'il « ne le sent pas », je sais qu'il pèse ses mots et que sa condition physique n'est pas en cause. Il voudrait même me ménager, mais c'est plus fort que lui. Pour détendre l'atmosphère, je garde le sourire et tente une plaisanterie quelconque, mais ni lui ni moi ne sommes dupes. Il y a trois semaines, un homme s'est tué ici alors qu'il montait en famille accompagné d'un guide. J'ai lu ça dans la presse en préparant notre venue. J'aurais pu ne rien lui dire hier, j'ai même hésité à le lui cacher sachant l'effet que la nouvelle aurait sur lui, mais cela n'aurait pas été honnête. Papa n'était donc pas un cas isolé. Cela ne change rien, mais cela change tout. Certaines années, l'hiver ne veut pas céder la place. Un pied qui dérape sur un névé qui s'éternise un peu pour profiter des beaux jours. L'homme a glissé. Ses proches l'ont vu partir sur la glace, aphasiques, impuissants. Lorsque j'imagine la scène, ce sont ces regards qui me brisent le cœur. Parfois la mort frappe comme la foudre. Le tonnerre ne vient qu'après pour déchirer la terre et libérer les cris de ceux qui restent. Je crois qu'il est tombé dans le vide. Quoi qu'il en soit, cet homme est mort, comme papa et comme d'autres avant eux. Pierre ne veut pas compter parmi les suivants. Cette pensée le terrifie. À la maison, son troupeau l'attend. S'il existe une chance sur un million de laisser sa peau par ici, c'est déjà une de trop et ce sera sans lui. Il est bien placé pour savoir qu'au bout du compte, personne n'a jamais gagné en jouant à la roulette russe. Ce qu'on oublie toujours de dire, c'est que les vrais perdants sont ceux qui restent à table. Aujourd'hui est une étape. Monter sur ce sommet est notre façon de venir vendanger les derniers fruits d'une époque disparue. Je voulais porter mon frère sur mes épaules, laisser libre cours à nos souvenirs, ne pas avoir à nous soucier du reste. Mais je me suis trompé. Faire son deuil est un abus de langage. Les vraies plaies sont éternelles. On ne guérit pas, on fait avec.

Vendredi 30 juin – 6h50

Chaussures de montagnes aux pieds et sac sur les épaules, j'ouvre la porte et serre une dernière fois Clémentine dans mes bras. Le taxi m'attend dans la rue.

— Faites attention.

— Je t'aime.

Les mots s'emmêlent entre le cœur et la gorge. Lui dire que je l'aime est à peu près la seule chose dont je suis encore capable ce matin. Clémentine est inquiète, elle ne dormira pas du week-end, mais je m'en fiche. Ma décision est prise depuis longtemps. Mes globes oculaires sont à deux doigts d'une crue centennale. Les siens ont déjà rompu les digues. Elle se tient debout devant moi, cheveux froissés, paupières collées, avec son ventre gonflé comme un ballon sur lequel je pose la main en l'embrassant.

— Sois gentil avec ta mère.

Elle sourit, tiraillée entre fierté et désarroi, et je sens tomber sur moi l'ombre de ses affres humides qui lui coulent le long des joues. Au cours des derniers mois, nous avons perdu l'habitude de nous éloigner l'un de l'autre, atteignant doucement cet état d'absolu qu'explorent parfois les jeunes couples dans l'attente de leur premier enfant. Elle m'envoie un dernier baiser, puis je disparais dans les escaliers. Lorsqu'elle referme la porte, je regarde déjà devant moi. Mon esprit est ailleurs, parti se percher là-haut, au pays des bouquetins, là où les aigles nichent, sur les rochers des Pyrénées.

Dans mon vieux sac qui passe de soute en coffre, fidèle comme un frère de lait, s'entassent pêle-mêle couteau suisse, lampe frontale, couverture de survie, baudrier, mousquetons, gants, bâtons de marche, bonnet, porte-carte, boussole et ma fausse veste North Face qui me suit partout depuis des années. Mon agnosticisme me rend superstitieux. J'ai la naïveté de penser que certains objets ont une âme et que leur mémoire voyage à nos côtés. Cette veste, c'est mon compagnon de route et de fortune. À Cuzco, je l'avais négociée pendant si longtemps dans une échoppe de contrefaçons chinoises qu'au moment de sortir l'argent pour la payer, j'étais convaincu d'avoir fait l'affaire du siècle à la barbe d'une vieille Péruvienne. Elle me suivit dès le lendemain dans les pentes rocailleuses et givrées du col du Salkantay, puis partout en Amérique latine. Depuis cette époque, elle me porte chance, restant fidèle à sa mission.

Hier, à Paris, la chaleur sortait des entrailles de l'asphalte. L'année est caniculaire, les ventilateurs en rupture de stock chez tous les bons marchands. Enceinte de six mois, Clémentine étouffe dans notre deux-pièces de la porte de Pantin. En arrivant à l'aéroport, je profite du retard de mon frère pour prendre un rafraîchissement et passer un coup de fil à ma mère. Elle apprécie d'être tenue au courant et j'ai besoin de partager avec elle. Je n'ai pas de stress particulier, pourtant, ce matin, j'ai le cœur de plomb.

— Vous êtes où ?

Ma mère ne dit jamais bonjour lorsqu'elle décroche son téléphone. Pas le temps. C'est sa façon de nous faire croire qu'elle a toujours un chariot à pousser et un plat sur le feu. La vie est trop courte pour les formalités. Même quand c'est elle qui vous appelle, elle a l'air pressée, de telle sorte qu'une conversation téléphonique ne dure jamais plus d'une minute ou deux. Le temps de se dire l'essentiel. Le reste est dérisoire. Ce matin ne fait pas exception.

— Bonjour, maman. Je suis à l'aéroport.

— Mais tu es à Pau?

— Non, je viens d'arriver à Orly.

— Tu as retrouvé ton frère?

— Il va arriver, il est en retard, bloqué dans les bouchons.

— Super! Bon vol, alors. Il faut que je te laisse parce que j'ai rendez-vous avec Catherine, et ensuite je vais à la Croix-Rouge. C'est sympa d'avoir appelé. Faites bien attention à vous et appelez-moi dimanche quand vous pouvez! Je vous aime! Bisous.

— Bisous.

Trente-huit secondes. Elle raccroche et je pars trouver un kiosque pour acheter la presse du jour. Heureusement que je n'avais rien de particulier à lui annoncer. Au fond, maman s'inquiète, mais elle ne montre rien. Cette pudeur est fidèle à ce qu'elle a toujours été. Ma mère a la délicate attention d'essayer de nous cacher le trouble qui l'agite pour ne pas nous influencer dans nos choix. Pourtant, elle sait bien que ce week-end est important. Je sais qu'elle est fière de nous. Mais pour elle, la montagne est une immensité hostile qui n'a rien à offrir que du malheur. La beauté d'un granit est morbide. C'est froid et rêche comme de la glace. Un sommet, c'est un caillou inerte, méchant comme un fusil chargé. Pourquoi se donner tant de peine pour se mettre en danger ? Pour moi, bien sûr, c'est autre chose. Si les sommets ont des noms, c'est parce que leur âme flotte au-dessus des cimes. Il faut les comprendre et les écouter pour espérer les apprivoiser un peu et les traverser en silence. Leurs pentes ont des personnalités complexes et lorsque les pierres pétillent, il me semble qu'elles me parlent. Les glaciers de la Vanoise ont bercé mon enfance tout en restant des inconnus. La Grande Casse, le Grand Bec, le mont Pourri, le dôme de Polset, l'aiguille de Péclet. Enfants, nous évitions d'aller nous mesurer de trop près à ces géants blancs. Désormais, je voudrais aller leur causer. La montagne est un territoire où je chasse mes démons. J'aime le vent froid, les pierriers qui grincent et la solitude des glaces. Maman ne comprend pas cet attrait pour les grands espaces, mais elle le respecte. À huit ans, je rêvais des sommets dont je survolais les

photos dans les livres de montagne qui traî-
naient sur l'étagère du salon. Le Mont-Blanc
m'impressionnait à cause de son côté consen-
suel et de la façon que les moniteurs de l'ESF
avaient toujours de le montrer du doigt en
sortant des télécabines. Pourtant, je préférais
déjà l'Aiguille Verte, plus ardente, les Grandes
Jorasses, plus inquiétantes, et la barre des
Écrins, plus saillante. L'Everest, le K2, c'était
un autre monde. Ils paraissaient trop lointains
pour être vraiment pris au sérieux. Frôler l'espace et chatouiller le ciel, c'était le territoire
des dieux, des fous et des alpinistes légendaires. J'ai fait la connaissance de la plupart
d'entre eux en tournant les pages de vieux
bouquins abîmés. Nez à nez avec les phalanges
manquantes de Maurice Herzog, incapable de
refermer ma bouche grande ouverte de stupeur, je restais de longues minutes à observer
la photo de ses mains mutilées et de son visage
brûlé par le soleil à son retour de l'Anna-
purna. Vers douze ans, je découvris Messner
au sommet de sa gloire dans un ouvrage en
couleurs que je lisais en silence allongé sur le
tapis du salon. Sur la couverture du livre, il
pose avec Hans Kammerlander au camp de
base du Lhotse. Le sommet les domine à huit

mille cinq cent seize mètres sur la frontière
népalo-tibétaine. Messner s'apprête à devenir le premier homme à avoir gravi les qua-
torze sommets de plus de huit mille mètres.
La photo est prise par Fulvio Mariani, le réa-
lisateur suisse qui les suivait cette année-là.
Bandana écossais vissé sur oreilles, cheveux
longs qui flottent au vent, barbe de mouton,
pull en laine ajusté sur un corps sec comme un
piolet et combinaison violette ouverte jusqu'à
la taille. On aurait dit les Pink Floyd qui partent en voyage sur Mars.

J'ai toujours été fasciné par les skis en bois
accrochés aux murs des chalets et les visages des
alpinistes que les photos rendent immortels.
Avant l'ascension, avec leurs dents blanches
et leurs visages de conquérants de l'inutile, ils
ont l'air de donner une leçon de liberté à l'humanité. Au sommet, ce sont des demi-dieux
en séjour sur l'Olympe. Quelques jours plus
tard, dans les photos qui célèbrent leur retour,
la peau brûlée par les étoiles, entourés par la
foule et quelques notables du canton, on per-
çoit la fatigue et la détresse au fond de leurs
yeux. Comme s'ils prenaient chaque fois un
peu plus conscience de la vanité de leur effort.

Pierre arrive à l'aéroport quelques minutes avant la fin de l'embarquement. Nous nous embrassons rapidement et nous engouffrons dans l'avion en saisissant une poignée de quotidiens qu'Air France met à disposition des voyageurs. Lire, cela nous évitera d'avoir à penser. On parlera du passé plus tard. Le week-end sera bien assez long.

Du temps où ils vivaient ensemble, maman n'a jamais suivi mon père dans ses échappées de randonneur. Parfois, je me demande comment ils ont fait pour rester mariés près de dix ans. Maman est un oiseau des villes, papa était un ours des Carpates.

— J'aurais dû être gardien de phare, me dit-il un jour.

— Mais tu ferais quoi ?

— Je m'occuperais de l'ampoule, et le reste du temps, je lirais en piochant dans des malles remplies de bouquins.

Je trouvais cela plutôt incongru sortant de la bouche d'un père de deux enfants. Papa ne connaissait pas grand-chose à la mer, à peine plus à la montagne, et franchement rien à

l'éducation. Il fallait voir l'effet de ses diva-
gations romanesques sur un gamin de huit
ans. Tandis que l'avion avale des kilomètres
de ciel en direction des Pyrénées, je le revois
se complaire dans cette solitude cistercienne
dans laquelle je l'ai toujours connu. Malgré
la cuisine qu'il avait fait refaire, l'appartement
de la rue Gérando était resté figé dans une
époque qui n'existait plus. En dehors de son
piano et de l'ordinateur ventripotent qui s'in-
vitait dans les foyers en cette fin de millénaire,
je ne crois pas que mon père ait jamais acheté
un seul nouveau meuble. La moquette était
crasseuse, le parquet sombre et la vie immobile dans ce quatre-pièces familial situé entre
Pigalle et Barbès, au pied du Sacré-Cœur. Sa
solitude était son cadre, son choix. Un coffre-
fort cérébral où personne ne lui faisait l'affront de la sottise intellectuelle qu'il haïssait
par-dessus tout. Je crois aussi qu'il avait trop
souffert de n'avoir pas su assez aimer ma mère,
qui le quitta un jour sans prévenir. Les pla-
cards étaient vides, les valises envolées, les
enfants disparus. Connaissant le bonhomme,
ça a dû lui faire tout drôle. Chez nous, le
mariage était un sacrement divin. Le divorce
une chimère.

Les semaines et les mois qui suivirent le départ de ma mère furent ponctués de drames familiaux, de combats et de larmes à la sortie de l'école pour nous récupérer, puis d'une guerre froide à coups de courriers d'avocats interposés pour se disputer la garde des enfants. Du haut de mes deux ans, j'étais pendu à mon biberon, peu concerné par le conflit. Quoique, il paraît que les taches de dépigmentation qui s'éparpillent sur ma peau sont apparues à cette époque. Mais Pierre se souvient parfaitement de cette période où il a vu son cocon se rompre et ses parents se déchirer. Nous étions à la fin des années 1980. Le drame se conclut par la seule décision qu'un juge des affaires familiales était en mesure de rendre en ce temps : ma mère obtint la garde et mon père le droit de nous voir un week-end sur deux ainsi que de déjeuner avec nous le mercredi midi s'il le souhaitait.

Je n'ai jamais creusé les raisons du divorce de mes parents. Ma mère m'a donné une fois une explication qui m'a suffi : « Je n'étais pas heureuse, alors je suis partie. » En tombant par hasard sur l'album photo de mon baptême, je ne peux m'empêcher de la comprendre.

Le papier est usé par le temps et donne à toute ma famille le teint jaune et malade de cette bourgeoisie catholique de province parfaitement sûre d'elle-même. Aveuglée de certitudes, gangrenée par l'ambition technocratique, elle ne se voit pas mourir à petit feu. Nous sommes en 1986, les hommes fument des Gauloises dans des costumes en laine trop larges pour leurs petites épaules. Lugubres avec leur style de notaires de campagne, ils se donnent l'air importants et semblent se faire du souci en fronçant les sourcils pour parler politique. Giscard, c'était une erreur, mais il avait un certain style. Mitterrand leur a donné quelques sueurs froides. Quant à Chirac, en dépit de son gaullisme papelard, son retour à Matignon devrait enfin limiter la casse en supprimant l'impôt sur les grandes fortunes et en engageant les privatisations qu'on n'en finit plus d'attendre. Sur les côtés, mes tantes tiennent les murs le front caché sous des permanentes d'une ignominie qui rend hommage à l'époque. Elles portent de longues jupes plissées, des chemisiers en dentelle, un chapelet de perles autour du cou et de grosses boucles d'oreille à pince. Seul mon père sourit. Sur une photo, il me tient dans les bras. Dans son costume trois-pièces, il a l'air fier. Au milieu du tableau, campée dans son fauteuil comme une Vierge à l'Enfant, ma mère a les yeux vides et fatigués d'une étrangère en exil. Elle se soumet en silence à l'ennui d'une famille où elle ne se fera jamais sa place. Et moi, dans ses bras, âgé de quelques semaines, j'ai plus l'air d'un meuble que de l'Enfant Jésus.

Vendredi 30 juin – 11h10

Le trajet me permet de me plonger dans des souvenirs enterrés avec mon père il y a quinze ans. Nous arrivons à Pau en fin de matinée. Je n'ai pas touché à la presse. L'avion se pose sur la piste en me tirant de mes rêveries et nous récupérons la voiture de location en constatant que la météo ne s'est pas trompée : le temps est bel et bien pourri. Dans ces conditions, la perspective d'une ascension s'éloigne, mais qu'importe, cela fera tout de même un bon week-end entre frères. Au pire, nous trouverons sans mal quelques bouteilles de vin à faire tomber près du feu pour aider les heures à passer en nous remuant la mémoire au fond d'un verre. Boire sans modération est une occupation que l'on maîtrise correctement. D'ici là, je dois encore faire l'acquisition d'une corde neuve et de quelques mousquetons. Quoi qu'il arrive, cela me servira toujours.

Le Décathlon de la zone commerciale de Lescar, en périphérie de Pau, doit se souvenir du passage des frères Gauthey comme d'un moment délicieux. En sortant de l'aéroport, Pierre et moi décidons d'aller y faire un saut pour ne rien laisser au hasard. Lorsque nous le quittons, le coffre de la voiture est plein à craquer. Dépenser l'argent sans compter a quelque chose de cathartique, surtout quand on est d'humeur maussade et que sans se l'avouer, on veut repousser l'inévitable aussi loin que possible. Nos cartes bleues brûlantes de retour en lieu sûr, l'équipement au complet, Pierre et moi mettons enfin le cap vers la vallée d'Ossau. Là-bas, sur le parking d'une route enlacée qui mène à la frontière espagnole, au détour d'un virage, nous avons rendez-vous avec des chagrins putréfiés qui nous attendent depuis toutes ces années.

Dans le cadre de mon travail, je suis revenu à Pau il y a trois ans pour animer une conférence au palais Beaumont. Jamais je n'avais remis les pieds dans cette ville. La sœur de mon père y habite toujours, mais nous n'avons plus aucun lien avec elle. C'est chez elle que nous étions venus en vacances cette année-là, c'est donc naturellement à Pau qu'on associe le drame, bien qu'il se soit passé à soixante kilomètres de là, dans le sud du Béarn. Anne et Étienne nous avaient prêté leur maison qui, depuis, a été vendue. Une jolie meulière posée sur la colline autour de laquelle tournait leur gros labrador noir. Maintenant qu'elle est veuve, ma tante s'est acheté un petit appartement dans le centre-ville d'où elle regarde passer les saisons en silence. Je logeais donc à l'hôtel. Saisissant l'occasion, je demandai ses coordonnées à Pierre et contactai ma tante dans la foulée pour lui rendre visite avant mon rendez-vous. Une femme grise et fanée m'ouvrit la porte. Sa tanière sentait l'aigreur. Tout en préparant le thé, elle arborait le sourire fielleux d'un être usé par les années et la longue maladie de son mari décédé deux ans plus tôt. Au fond, une femme plutôt sympathique en tête-à-tête, pas mécontente de me voir venir éclairer le fond de la grotte où elle vivait en ermite, coupée du monde et de ses sœurs, avec lesquelles elle était en froid.

— Comment vas-tu ? demandai-je.

— Oh tu sais ! Toujours bien tant qu'on me laisse tranquille.

Si j'avais un soupçon de rancœur en entrant chez elle, je sortis surtout rempli de pitié pour cette femme triste et voûtée. Mais le plus important était que Pau venait de reprendre une réalité bien tangible sur la carte de France, et que je n'associais plus cette ville uniquement à mon imaginaire tragique et à la gloire de François Bayrou. Pas disgracieuse avec son château, ses arcades et son projet de tramway, Pau redevenait une petite bourgade plutôt charmante, baignée dans son gave sur le piémont pyrénéen, accessible à une heure de vol de Paris.

— Je vais faire un tour en montagne, dit mon père. Vous voulez venir ?

C'était pendant les vacances de la Toussaint. Je sors la tête de la couette pour me rendre compte qu'il doit être sept ou huit heures du matin. La lumière du jour m'agresse le lobe frontal, mon cortex se recroqueville en emportant tout mon corps avec lui. Nabil et moi ressemblons à deux huîtres. Nous avons probablement fumé des joints en jouant au baby-foot jusque tard dans la nuit.

— Non merci, papa.

Quels parents auraient insisté avec deux adolescents de quinze ans ? Depuis un an ou deux, mon père ne me force déjà plus à l'accompagner à la messe le dimanche. Je lui en sais gré. La première fois, cela m'a surpris. Il n'a jamais rien dit, mais il doit bien savoir que je sors de l'église dès qu'il a le dos tourné. S'il ne s'en est pas rendu compte tout seul, quelqu'un lui aura dit. Tout le monde nous connaît dans la paroisse. Posté à la brasserie Royal qui fait face au parc de la Trinité, j'attends la fin de la communion pour revenir dans l'église. Il m'a laissé dix francs pour la quête avant d'aller rejoindre la chorale où il chante les basses. Avec les dix autres francs que je trouve en fouillant dans ses poches de vestes, c'est à peu près suffisant pour m'acheter un paquet de cigarettes, faire une partie de flipper et me payer un café pour passer le temps. Les téléphones portables n'existent pas encore pour aller me dézinguer les neurones sur les réseaux sociaux. Si cinq ans plus tôt, Pierre s'était fait prendre à faire l'église buissonnière, il se serait probablement pris une soufflante œcuménique assez puissante pour éteindre un cierge pascal de la taille d'une flamme olympique, mais je grandis face à mon père de façon plus apaisée. Mon grand frère trace la route et me polit les angles. J'ai le souvenir d'une lumière beige, d'un papier peint marron, d'une porte entrouverte. La mémoire s'efface comme les traces de pas sous la neige. Il ne reste que des formes, bientôt tout a disparu. Peut-être papa m'a-t-il embrassé. Je pense qu'il m'a dit : « À ce soir ». J'ai dû penser « Prends ton temps. Nous, on va fumer du shit toute la journée ». La porte s'est refermée. C'est la dernière fois que je l'ai vu.

C'est l'inconscience et l'amateurisme de mon père qui sont en cause. La montagne n'y est pour rien, mais il me fallait un coupable, alors je lui en ai d'abord voulu à elle. Pendant toutes ces années, j'étais en colère contre quelques plaques sédimentaires du carbonifère qui s'étaient dressées vers le ciel lors d'un plissement vieux de trois cents millions d'années. Cette colère m'a tenu éloigné des sommets pendant plus de dix ans. Plus tard, j'ai appris que personne n'est censé laisser sa vie en bas d'une falaise, encore moins quand deux enfants vous attendent à la maison. J'en ai aussi voulu à la vie, au destin et à Dieu. J'en ai voulu à Dieu plus qu'aux autres, avant de me résoudre à lui dire d'aller se faire prier par d'autres que moi. J'avais fait mon catéchisme, ma première communion, mon scoutisme et gravi les échelons d'un catholicisme d'apparat sans faire trop de vagues. En cinquième, la proviseure adjointe de Passy-Buzenval, madame Giry, qui avait aussi été ma professeure de mathématiques, m'invita tout de même à trouver un autre établissement après que je m'étais fait surprendre par un moine avec un classeur rempli de magazines *Playboy* pendant notre retraite de profession de foi à l'abbaye du Bec-Hellouin. Cette grosse femme cylindrique tournait les pages devant moi, passant sur les cambrures des muses en me demandant si je croyais que c'était vraiment ainsi dans la vie. Ça fit franchement marrer mon père. Lui aussi s'était fait surprendre avec ses copains dans le train qui le ramenait de Reims où il était en pension chez les jésuites. Un grand Judas qui leur avait fait la morale avant d'aller les vendre. Moi, je ne riais pas. La punition était de recopier les Évangiles en silence pendant de longues heures de colle. On m'inculquait la foi chrétienne à coups de marteau, et déjà, je regardais autour de moi interloqué, sans comprendre l'absurdité de la sanction. Quel dieu faut-il donc être pour laisser un adolescent si malheureux en lui volant son père ? J'ai cherché une raison là où la prière n'était d'aucun secours. Si un dieu laisse faire, c'est que c'est un sacré enfoiré. Dans le cas contraire, c'est qu'il n'existe pas. Dans tous les cas, qu'il aille se faire voir.

Nous avions invité mon ami Nabil pour les vacances. Vers dix-neuf heures, il commençait à se faire du souci lorsqu'on réalisa que la nuit tombait et que papa n'était pas encore rentré. Moi, je m'y étais habitué depuis longtemps. C'est même la raison pour laquelle j'ai mis du temps à accepter sa mort. À n'importe quel moment mon père aurait pu surgir, ouvrir la porte avec son sourire satisfait et s'asseoir autour de la table la gueule enfarinée en nous reprochant d'un haussement d'épaules de nous être tourmentés pour rien. « Ce n'est pas à vous de veiller sur moi », me dit-il un soir où je m'étais inquiété de ne pas le voir rentrer. Mais cette fois, papa ne revint jamais. À part dans mes rêves, souvent.

— Papa n'est pas rentré.

C'était le lendemain matin au téléphone. Ma mère ne sourcilla pas. Elle appela ma tante, qui appela des amis qui vinrent nous chercher et nous déposèrent à la gare. Maman me rappela quelques minutes plus tard.

— Vous rentrez ce matin.

Pendant notre trajet, les choses s'accélérèrent et la cellule de crise familiale fut mise en place. Branle-bas de combat. En arrivant à Paris, la maison était en ordre de bataille. Ma mère avait pris les choses en main et mesuré la situation pour ce qu'elle était. Mon père avait disparu depuis trente-six heures, on savait juste qu'il était parti se promener en montagne sans savoir où. Le drame était devenu palpable. La probabilité qu'il soit en vie diminuait un peu plus chaque heure. Mais le moment n'était pas à l'apitoiement.

Pantin. Chaussons aux pieds, baudrier sur les hanches, les parois immenses et granuleuses s'accrochent à de longues cordes mauves et beiges qui semblent tomber du ciel comme les cheveux des anges. L'histoire recommence à s'écrire lors d'une soirée de l'hiver 2015. Malgré la tôle ondulée au plafond et l'éclairage artificiel qui pétarde là-haut, j'imagine déjà le ciel et une nature luxuriante qui jacasse à mon passage. Dans un hangar témoin d'une vitalité économique révolue depuis des lustres, une salle de grimpe flambant neuf vient d'ouvrir et je débute un stage d'escalade. Escaliers, tables et bar de pin verni, la croix de Savoie drapée de rouge est à l'honneur dans les méandres du neuf-trois. On s'imaginerait volontiers dans un chalet d'alpage ou un bistro de station, à mille lieues de l'odeur de gomme rance et de transpiration des gymnases municipaux d'autrefois. Les bobos jubilent. Ça se mesure au nombre de vélos sans pignons garés devant la porte. Tout est fait pour oublier le périphérique qui gronde à quelques centaines de mètres et les forêts de barres HLM qui pullulent alentour. Ce soir, je repars à zéro. De toute façon, j'ai oublié tout ce que j'avais appris gamin lors des stages d'été à Pralognan-la-Vanoise sur les parois du Mont-Bochor et la cascade de la Fraîche. La salle vient d'ouvrir dans un vieil entrepôt réhabilité. Les Parisiens branchés en mal d'adrénaline et les montagnards déportés loin de chez eux s'y retrouvent le soir pour se badigeonner les mains de magnésie, enfiler leurs chaussons et manger du dévers. On y propose un stage d'initiation pour débutants auquel je me suis inscrit en prenant soin d'y entraîner quelques amis qui n'ont finalement pas manifesté l'enthousiasme que j'avais espéré. Au fond, cela m'importe peu. Si l'objectif avoué est d'apprendre en toute sécurité pour venir profiter des installations à loisir, le mien est de faire les progrès nécessaires pour partir en autonomie. Cela prendra le temps qu'il faudra. En ligne de mire, lorsque je serai prêt, une caldera des Pyrénées qui pointe à deux mille huit cent quatre-vingt-quatre mètres d'altitude sur la carte IGN 1547 OT.

Quoiqu'il manque les frissons du grand air, même en salle, pendu à une corde à dix mètres de haut, le vide peut vous nouer l'estomac et vous irriguer le cerveau d'endorphine. En matière de sensations, une bonne grimpe vaut bien une pipe de crack. À cela près qu'on monte littéralement vers un paradis artificiel. La salle est une école d'humilité. S'attaquer à trop dur me renvoie à ma condition d'Homo sapiens. À Pantin, les voies sont jaunes, orange, bleues, vertes en fonction des difficultés qu'elles imposent. Répliques imparfaites et colorées de ce que la nature offre comme terrain de jeu, c'est tout à fait suffisant pour reprendre conscience du danger et progresser au chaud. Le stage a ses vertus. Si l'on est rigoureux, appliqué et conscient de ses limites, l'escalade est un sport à peu près sans danger.

Dimanche 2 juillet – 10h35

L'ascension du pic du Midi d'Ossau est ponctuée de trois cheminées qui sont autant de passages réputés plus difficiles que le reste. Enfin en sécurité en haut de la deuxième, mains sur les hanches, Pierre reprend son souffle. Le regard abscons toujours porté vers l'horizon, son visage est pâle et sibyllin. Jamais je ne l'ai vu vaciller comme ça.

— On fait de la merde.

Mauvaise ambiance.

— Comment ça ?

Je pose la question sans attendre de réponse. Le sommet me semble compromis. Même s'il ne le dit pas, je vois bien que ses jambes sont molles et que ses pensées font des cendres. La montagne est un cyclotron pour des idées noires. Tant qu'il marche en saturnien, seul avec ses doutes, Pierre retourne dans sa tête chaque brique de cette semaine de novembre 2001 qui marqua notre âme au fer rouge. Lorsqu'il pense à sa famille, l'idée de marcher sur les traces de papa l'anéantit. Lui n'est jamais revenu au parking où nous avons laissé la voiture. La peur le pétrifie. La mort rôde. On attend Charon comme on attend un bus. Pierre n'a plus confiance en lui ni en moi. Dans la première cheminée que nous avons franchie, j'ai d'abord hésité à dérouler la corde car je trouvais le passage en arête plutôt facile. La plupart des topos que j'ai consultés indiquent que la corde n'est indispensable qu'à la descente. Lors de la montée, on la réserve le plus souvent aux débutants et aux trouillards. Mais il faut de l'humilité pour s'avouer débutant.

— Tu sais qu'il y a des passages de grimpe un peu engagés ? lui ai-je dit il y a quelques semaines.

— Engagés comment ?

— Pas vraiment techniques, mais un peu engagés quand même. Niveau débutant plus.

— Ça ne m'a pas l'air bien difficile, a-t-il répondu en éludant le sujet d'un revers de main. Je ne me fais pas de souci pour ça.

Soudain, je me rends compte qu'il n'a pas regardé les documents que je lui ai transmis. C'est ma faute. Je l'ai laissé surestimer son niveau sans prendre en compte l'émotion ni la mesure de la difficulté. Et lui n'a pas voulu aller s'entraîner en salle avant de venir. Pourtant, je le lui ai proposé. Trop de choses à faire, le boulot, les enfants, les sorties. J'aurais dû insister. Cela m'aurait permis de me faire la main et d'apprendre à lover ma corde correctement au lieu de l'emmêler à chaque fois que je la sors et de passer de longues minutes à en défaire les nœuds. En dépit de mes récentes ascensions glaciaires, mon frère a bien vu que mes petits exploits des mois passés ne sont pas à la hauteur de la sécurité à laquelle il a raison d'aspirer. Je ne suis qu'un débutant, confirmé tout au plus. Son regard me transperce.

— Tu veux arrêter ?

— Je ne sais pas.

Mon sang fait du boudin, j'ai la moelle qui s'embrase. En ouvrant la porte à la possibilité de rebrousser chemin, je sais comment l'histoire va finir. Je voudrais juste croire que je me trompe. Un regard vers le ciel. C'est à mon tour d'être raisonnable. J'ai confiance en moi. Techniquement, ce sommet est presque une formalité. Mais je ne vais pas hisser mon frère là-haut contre son gré ni le laisser redescendre seul. On a toujours fait bloc, ce n'est pas maintenant qu'on va se déliter. Pourtant, c'est plus fort que moi. Je ne m'explique pas pourquoi, je sens dans mes tripes le besoin primaire de monter là-haut. C'est animal. Je dois défier les éléments, rompre la malédiction, faire mon pèlerinage et refermer la porte d'une époque le cœur apaisé par le sentiment du devoir accompli.

— Si tu veux, on s'arrête là, dis-je.

— Ça ne t'ennuie pas?

— Nan. On mange notre sandwich ici en profitant de la vue, et puis on redescend tranquillement.

— Oui. Je pense que c'est mieux. Je suis désolé.

— Ce n'est pas grave. Je reviendrai une autre fois.

Le monde s'écroule en silence et dans la déflagration, je n'ai que de la rage. Ce sommet m'obsède. Cela fait des mois que j'y pense tous les jours, sans compter les années qu'il a passé à me hanter. Et voilà qu'il me file entre les doigts à quelques heures de marche. Le sort s'acharne sur moi comme sur Tantale. De quoi me suis-je donc rendu coupable? Je suis en colère contre mon frère, contre moi, contre cette maudite montagne, mais je contiens les cris qui me traversent sous un couvercle que je scelle en toute hâte pour en étouffer les répliques. Dans la famille, nous sommes doués pour ravaler nos peines afin de les épargner aux autres. Mais dans mon ventre, c'est la tempête. Je suis si triste !

Nous sommes allés acheter mon premier costume pour l'occasion chez une marque de prêt-à-porter pour commerciaux en chemisette et jeunes gens admissibles aux oraux des grandes écoles. Ma mère me trouve beau, mais son goût n'a jamais fait autorité en matière de style. J'ai une gueule d'enterrement qui fait honneur au contexte. Pourquoi faut-il porter du noir pour dire adieu à nos morts ? Comme s'il y avait besoin de s'infliger un peu plus de *spleen* ! Dans cet accoutrement, j'ai l'impression d'avoir les canons à condoléances braqués sur moi. En même temps, je suis plutôt fier. Nous voir en costume n'est pas banal. Je sais que mon père aurait apprécié ce geste. « Réjouissez-vous, mes frères et mes sœurs, car Xavier… » Je ne me souviens de rien à part d'avoir chialé comme si j'avais passé la matinée à éplucher des oignons. De l'autre côté de la nef, mes tantes sont alignées comme les frangines de Cendrillon. De part et d'autre du cercueil, le schisme est palpable. Il nous a précédés.

Quelques jours plus tôt, concile familial. Nous avons rendez-vous rue Lafayette, à quelques pas de l'église, dans le salon de tante Lison. Tout s'est fait très vite. Nous ne nous sommes pas encore vus depuis que nous avons appris la mort de papa. À l'ordre du jour, le programme de la messe des funérailles. Pierre et moi bataillons pour la première fois autour d'un texte. Contre l'avis du petit vieux en soutane et les mœurs en vigueur défendues par mes tantes, on lira du Kipling si on veut, parce que les Évangiles n'ont pas l'éclat tragique d'un «Tu seras un homme mon fils». Maman ne dit rien. Les chrétiens qui s'encanaillent entre l'homélie et le credo, elle laisse ça aux autres. Au fond de la pièce, voûtée sous une lampe de chevet, dans son fauteuil Louis XV, grand-maman est déjà sénile. La grand-mère qui nous badigeonnait d'eau de Cologne et nous serrait dans ses bras à la sortie du bain n'existe plus. Je ne sais dire si Alzheimer lui a déjà percuté le fond des synapses ou si la rupture entre papa et elle était si profonde que même sa mort n'y change rien.

« "Car celui qui est mort est affranchi du péché." On a lu l'épître de Saint Paul aux Romains lors des funérailles de tante Suzanne le mois dernier. Le sermon du prêtre était superbe. » On se croirait à un séminaire de pompes funèbres. Ces gens-là sont tristes depuis tant d'années qu'ils doivent être en état stationnaire. L'oscillogramme émotif est à plat. Aucune mauvaise nouvelle, fût-ce la mort de leur frère, ne leur arracherait une larme. On parle du déroulé de la messe avec le formalisme de professionnels de la liturgie, comme si papa allait louper son examen d'entrée au paradis pour un manquement sur la sortie. De toute façon, notre réputation de païens en Terre Sainte nous a précédés. Les textes et les chants ont été choisis sans nous consulter avant notre arrivée. C'est aussi navrant que la situation l'impose. Pierre et moi nous regardons étonnés. On ne sait plus qui on enterre. Notre père, avant leur frère, avant leur fils, sans aucun doute.

*

— Tu as trouvé un test de grossesse?

— Oui.

— Et alors?!

Ses joues se mettent à trembler, ses yeux se gonflent. Puis le visage de Clémentine se transforme en geyser, et elle me dit en souriant :

— Je suis enceinte.

Ma gorge se serre, mon estomac fait un looping.

— Tu es heureuse?

— Oui, bien sûr! Mais je ne pensais pas que ça arriverait si vite. Et toi, tu es heureux?

— Évidemment! C'est le plus beau jour de ma vie!

Une grossesse, c'est comme le massage tonique au hammam de la grande mosquée. On a beau l'avoir voulu, c'est toujours un choc quand ça commence.

J'ai appris que j'allais être père un soir de janvier dans un restaurant du bourg de Christiansted sur l'île de Sainte-Croix, au sud des îles Vierges américaines, dans un décor de carte postale. L'instant ressemble à une image d'Épinal caribéenne ou un Gauguin dans les Marquises, à mille lieues des ouragans qui vinrent s'essuyer les pieds dans la région l'hiver suivant. J'ai figé ce moment dans ma mémoire en y encapsulant les bateaux mouillés qui se dandinent sur des fonds où tout poisson qui se respecte voudrait passer l'éternité. Autour de nous, l'intimité décomplexée du rocher de Protestant Cay, trempé dans l'eau à quelques brasses de la plage, et une poignée de touristes vautrés dans leurs transats qui semblent envier notre voyage autant que je lorgne leurs lits que j'imagine bien propres et moelleux. Je rêve de dormir dans un grand lit avec de vrais draps. Arrivés clandestinement aux abords de ce petit bout de territoire nord-américain en fin d'après-midi après une longue journée en mer à tirer un bord de près depuis le sud de Porto Rico, nous avons jeté l'ancre aussi discrètement que possible, tâchant vainement de ne pas nous faire remarquer par les douanes. Au crépuscule, j'ai débarqué et suis venu trouver le repos à une table de bois brun, face à un mauvais hamburger et une pinte qui n'a de bière que le nom. C'est un petit restaurant aux poutres mauves posé sur le bord de mer auquel on accède par un ponton qui serpente le long de l'eau. La terrasse vient s'asseoir sur les rochers humides. La nuit tombe, la lumière blanche du crépuscule transforme le sable en diamants de sel. La nouvelle me percute le cœur pour y faire éclore des sensations nouvelles. Je vais être père !

Malheureusement, mille cinq cents kilomètres nous séparent. Clémentine est restée en Haïti pour une mission d'aide humanitaire. La scène se déroule face à nos téléphones et je n'ai qu'une envie : la serrer très fort dans mes bras. Trop loin d'elle, j'ai embarqué sur un voilier pour aider son propriétaire à le convoyer jusqu'en Martinique. Nous devions nous retrouver quelques semaines plus tard là où le vent nous portera, sans savoir qu'un invité viendrait perturber ce programme.

— J'ai un retard de règles.

Porto Rico, baie de Puerto Real. Deux jours plus tôt, elle m'a annoncé cela au détour d'une conversation téléphonique.

— Tu as fait un test de grossesse ?

— Non, je n'en ai pas. Et je ne vois pas trop où je vais m'en procurer ici.

— Avec toutes les ONG présentes autour de toi, tu vas bien trouver ça, non ?

Puis silence radio. À Haïti, une connexion internet correcte est encore plus rare qu'une bouteille d'eau potable. Quant à moi, j'essaye parfois de capter un signal en pleine mer, mais la cause est perdue d'avance. La difficulté que nous avons à nous joindre donne un peu de gravité à l'aventure. Deux jours à m'arroser la conscience à l'eau de mer pour mesurer l'enjeu. Je crois que nous avions besoin de nous manquer pour nous aimer plus. Et voilà que malgré la distance et les semaines de séparation, à peine le pied posé à terre, elle me fait livrer un aller simple pour la paternité sous un cabanon du bout du monde. Dans le brouhaha du bar et d'un match de baseball des Yankees, je pleure sur mon petit écran en caressant son visage du regard faute de pouvoir passer ma main dans ses cheveux. À plusieurs centaines de kilomètres de là, je vois ses larmes de joie salées de détresse qui coulent le long de ses joues. Le gouffre inconnu de la parentalité apparaît tout à coup sous nos pieds, et nous avons déjà sauté dedans sans tout à fait nous en rendre compte.

De retour au bateau, je ne dors pas, griffonnant des cahiers jusque tard dans la nuit. Puis le sommeil me rattrape, laissant aux assaillants en uniforme noir le plaisir sadique de me sortir du lit le lendemain matin. Une fouille de bateau par les douanes américaines est, de toutes mes expériences, celle qui se rapproche le plus de l'idée que j'ose me faire d'un rapport sexuel non consenti en milieu carcéral. Malgré nos espérances candides de flibustiers amateurs, nous n'y échappons pas. Immobilisés du regard par un molosse en Ray-Ban se prenant pour Stallone, on commence par nous envoyer notre statut de petite merde en pleine figure pour bien mettre les choses au clair. Les hostilités n'ont pas encore démarré, mais la marmite ne sent pas bon. Passeports, acte de navigation, gilets, cargaison, matériel de sécurité, armes à feu. Interdiction de bouger. Vous n'avez rien à gagner à l'ouvrir, surtout quand vous n'êtes pas censé être là et que le droit joue contre vous. Il a été convenu que nous devons répéter "*yes*" et "*thank you*" aussi souvent que possible, puis lorsque tout s'arrêtera, hisser les voiles et fuir aussi loin que possible.

Papa avait ses livres et son piano, cela lui suffisait. Il apprenait la musique avec les livres et étudiait la théologie en cours du soir à la Catho. Ses deux passions célébraient leur union à la chorale de l'église de la Trinité, où il chantait le dimanche et répétait les jeudis soir.

Le reste du temps, lorsque son travail de cadre dans une grande compagnie d'assurances le lui permettait et que la météo était clémente, il montait dans sa voiture et partait marcher en forêt. C'était juste avant internet, à l'époque où on lisait des livres et où on écoutait des vinyles. Notre père nous enseigna le silence et la contemplation. Le temps se chargea de nous apprendre à les aimer. Le dimanche, on se réveillait en musique en écoutant Chopin et Mozart. Puis, après la messe, il nous emmenait souvent faire un tour de barque sur le lac du bois de Boulogne où plusieurs fois, j'ai manqué me noyer en y tombant pour échapper aux fusillades de marrons que me lançait mon frère. Ma mère était furieuse, le soir, en nous voyant débarquer trempés, et mon père prenait l'air faussement confus de nous voir déborder d'énergie auprès de lui. D'autres fois, nous nous promenions au parc de Saint-Cloud ou au bois de Saint-Cucufa. Prendre l'air et échapper à l'asphyxie urbaine était déjà une question de survie chez lui. Et malgré mes soupirs d'ennui, je découvris les cycles des saisons et la magie des couleurs d'automne en lui tenant la main au milieu des feuilles mortes.

Avec le divorce, le vendredi soir, papa venait nous chercher à Boulogne et nous emmenait dîner chez Joseph, rue de Provence. Lorsqu'il sonnait à l'interphone, je courais jusqu'à la porte et sautais sur ses épaules. Puis ma mère refermait la porte, soulagée d'avoir quarante-huit heures de répit devant elle. Dans la voiture, on écoutait Radio Notre-Dame ou Radio Classique en silence. Envoûtés par les voix suaves des animateurs dont je ne comprenais pas un mot, hypnotisés par les éclairages nocturnes des rues de Paris. Alors, je posais des questions à mon père, qui me répondait avec une clarté et un sens de l'explication peu communs. « Papa, c'était qui de Gaulle. C'étaient qui les Romains ? C'est quoi une pétasse mal baisée ? » Tout ce que je sais, je l'ai appris sur la banquette arrière d'une vieille R18 break couleur vin dont les sièges en velours sentaient le tabac froid et le vomi d'enfant fermenté. Le châssis vibrait sur les pavés de l'avenue de la Grande-Armée et de l'avenue de Friedland. Nous traversions Paris.

Le Mandarin de Provence était un restaurant qu'on appelait « Chez Joseph », un vieux Chinois colérique qui avait fui son pays au temps des livres d'histoire, et qui se mettait dans une colère rouge en nous parlant de Mao et Tchang Kaï-chek. Joseph postillonnait un charabia de français oriental que mon père nous traduisait lorsqu'il devenait trop évident que nos grimaces exprimaient notre incompréhension. J'y suis repassé quelques années plus tard, lorsque j'entrai en hypokhâgne à Condorcet, mais le restaurant avait fermé et Joseph était probablement mort en emportant dans la tombe le meilleur canard laqué du quartier. Cette apparition soudaine et mystique me tira d'une flânerie digestive. J'étais trop petit pour me souvenir de l'adresse, mais je reconnus la rue, le trottoir, l'angle de l'immeuble qui s'y adossait et la couleur passée de la peinture au plomb qui s'écaillait sur les canalisations extérieures. Des grilles avaient été érigées au bout d'une petite rue perpendiculaire désormais privatisée par une grosse banque du quartier. L'argent achète tout, même les rues de votre enfance. L'horodateur était toujours là, mais la grosse Mercedes de Joseph avait disparu et les effluves de friture avec elle. La vie suit son cours et un jour, au détour d'une promenade ingénue qui vous conduit d'une dissertation d'histoire à une khôlle de philo, vous vous rendez compte qu'un vulgaire institut de beauté pour jeunes banquiers pressés a évincé un monument historique de votre enfance. Le temps fuit et ne nous laisse que quelques tessons de jeunesse à recoller dans les débris de nos mémoires.

Après avoir avalé un bol de riz cantonais et quelques nems fagotés de menthe et de salade, mon frère et moi sortions faire de l'escrime avec les baguettes qui nous avaient servi pour le dîner. Celles-ci finissaient toujours par se briser l'une contre l'autre, et mon frère par me faire mal. Sans illusion, je posai mon regard au sol, cherchant quelques fragments de cette époque. Je revis le petit garçon blond que j'y avais laissé bataillant sur le trottoir, hardi comme un samouraï. Il entrait dans le restaurant en gémissant et se jetait dans les jambes de son père qui buvait son saké et fumait son cigare en silence. Dans le nuage de fumée qui envahissait la pièce côté fumeurs, la porcelaine de Chine posée sur la table apparaissait devant moi comme la Vierge à Bernadette. C'était le point d'orgue du repas. Au fond du verre nageait une geisha et ma douleur disparaissait à mesure que je me penchais dans la boisson pour admirer les seins de cette femme agenouillée nue dans son kimono. Mon frère m'avait suivi et nous engagions tous les trois de vives observations sur la créature du soir. De cette époque, j'ai conservé le goût des jolies femmes, pas celui du saké.

L'hiver parisien humide et bas de plafond s'était installé pour donner un peu plus de corps à l'ambiance mortifère qui nous entourait. Au milieu des voitures, comme une petite équipe soudée par le sang, ma mère, mon frère et moi avions rendez-vous dans une étude notariale de Drouot. Pour ne jamais flancher devant ses deux grands adolescents, ma mère gardait un entrain de façade. Je voyais bien les artifices, mais je ne disais rien. Moi, je ne comprenais pas vraiment ce que nous faisions là. Tout brillait autour de nous et nous étions éteints. Le luxe des bureaux contrastait avec nos esprits grisonnants. À voir les boiseries flamboyantes et les cadres dorés des tableaux d'Empire accrochés dans les escaliers, les héritages étaient un business florissant, mais quel métier pourri! En réalité, la spécialité de la maison résidait plutôt dans les transactions immobilières de grande ampleur, rien à voir avec les petits microbes que nous étions. Maître Dechin vint nous chercher dans la salle d'attente et nous invita à le suivre. Toute cette esthétique administrative me faisait penser aux bureaux des directeurs de collège que j'avais l'habitude de fréquenter, sauf que ce grand type fin était plutôt sympathique avec ses lunettes rondes et ses joues de nourrisson. Et puis j'aimais son prénom. Olaf. C'est canin, soyeux. Un nom qu'on a envie de caresser et qui me mit tout de suite en confiance. Quelque temps plus tard, j'appris que son meilleur ami venait de mourir dans des conditions assez comparables à celles de mon père, en laissant derrière lui une femme et des enfants. Notre situation le renvoyait à des larmes qu'il connaissait bien. Nous n'étions pas sa priorité ce jour-là, mais il avait tenu à gérer cette succession lui-même plutôt que de la donner à un clerc. Une façon peut-être de rendre hommage à son ami disparu.

En préambule, Maître Dechin nous adressa quelques mots d'une voix douce et chaleureuse, nous expliquant qu'en toute logique, mon frère et moi étions les bénéficiaires uniques des biens de notre père. Pierre était étudiant en droit et me traduisait parfois les termes techniques que je ne comprenais pas. Ironie du sort, dans cette étude, j'appris la notion de droit civil de *« bonus pater familias »*, le bon père de famille, normalement prudent et diligent. Nous avons paraphé des dizaines de pages sur un coin de table avec un stylo d'ivoire qui avait le pouvoir de déplacer des montagnes de fric avec un peu d'encre bleue. Puis le notaire nous tendit un chèque qui devait peut-être racheter nos douleurs ou compenser la peine en nous laissant sans voix. À quinze ans, je devenais copropriétaire de trois appartements, de produits financiers complexes, d'une SCI et de quelques centaines de milliers de francs. De tout cela, je n'aurais la jouissance qu'à ma majorité. D'ici là, ma mère serait ma tutrice légale, placée sous l'autorité d'une juge des tutelles ayant la lourde tâche de protéger les enfants des ravages de l'argent dans les familles fragiles. Nous sortîmes de là en titubant, croulant sous le poids d'un nouveau secret que nous avons gardé pour nous pendant des années pour ne faire ni jaloux ni envieux. L'argent des morts qu'on a aimés invite à la pudeur.

Le lendemain, j'étais de retour au lycée et m'efforçai dès lors d'avoir l'air d'être un gamin à peu près comme les autres, pétrifié à l'idée que cet argent fasse de moi quelqu'un de différent. J'ai mis près de quinze ans à avouer à quelques-uns de mes amis le montant de cette fortune qui, croyais-je, nourrissait des fantasmes, comme si j'étais coupable de tirer profit de ce drame.

Dans les jours qui suivirent, il fallut vider les deux appartements de mon père : celui de Lille où il vivait la semaine, et celui de Paris où nous avions grandi. Tous les trois, nous remplissions les cartons en décidant de ne rien jeter. Les livres, les manteaux, les bibelots, on verrait tout cela plus tard. Quelques amis vinrent nous donner un coup de main. Puis tout partit dans un garde-meuble de Senlis où l'on scella ces atomes de mémoire en fusion dans de grands conteneurs en bois de sapin. On s'accroche à des choses, mais à quoi bon ? À quelques exceptions près, les meubles n'avaient aucune valeur, même pas sentimentale. Des années plus tard, devenus jeunes adultes, contre l'avis timide de nos petites amies, Pierre et moi avons aménagé nos premiers appartements avec ces meubles jansénistes que nous n'avions ni choisis ni aimés, mais que nous avions conservés à grands frais toutes ces années. Tables de contadins, armoires de métayers, coffres de bouseux. Même les livres sentaient la vase. Ne sachant quoi en faire et ne la voulant plus, un jour, je fis venir un antiquaire chez moi pour expertiser une vitrine au moins centenaire qui me semblait valoir quelques sous. Elle avait appartenu à mon père qui y disposait ses bibelots d'argent et les photos de ses fils. Le type fut formel :

— Ça ne vaut rien. Vous savez, avec les héritages, on voit des gens vendre aux enchères tous les biens de leurs parents pour trois fois rien, en un seul lot. Ça leur brise le cœur.

L'homme ne resta pas deux minutes, assez pour me dire de la vendre sur internet, où j'en tirerais bien une cinquantaine d'euros. Dans le mois qui suivit, je mis tout dans un camion et m'en débarrassai sauvagement dans le garage d'une de mes tantes, la priant de garder ce qu'elle voulait et de brûler le reste. Depuis ce jour, quelques photos suffisent à meubler ma mémoire.

Vendredi 30 juin – 12h40

Le GPS m'indique une heure et quart de trajet jusqu'au parking d'Anéou. C'est assez pour déterrer quelques souvenirs. La voiture est le bon endroit pour ça : fixer la route permet de ne pas avoir à se regarder dans les yeux. Ce doit être le même mécanisme qui agit sur l'esprit dans le divan d'une consultation psychiatrique. Musique paisible, assis côté passager, Pierre fait appel à sa mémoire qui nous revient peu à peu en déroulant le fil. Nous parlons souvent de notre père, mais jamais de ces quelques jours qui nous ont fait chavirer hors de l'enfance. Ma culpabilité d'avoir préféré dormir plutôt que de partir marcher avec papa ce jour-là. Son traumatisme de simplement ne pas avoir été là. « J'étais à Assas quand maman m'a téléphoné pour me dire que tu l'avais appelée parce que papa n'était pas rentré, dit Pierre. Je me suis levé et je suis sorti de l'amphi. » Les premières pièces du puzzle s'emboîtent, comme si nous cherchions à les assembler, mais ce n'est pas ça. La seule chose à laquelle j'aspire ce week-end, c'est de monter au sommet de cette fichue montagne, et d'en redescendre aussitôt. Une case à cocher, rien de plus. Pourtant, nous sommes deux à nous raboter la mémoire à la truelle. Habillés comme on est, on dirait deux archéologues. Tout cela me semble si loin.

Si j'ai souvent rêvé que mon père revenait, qu'il s'était caché tout ce temps, c'est parce que nous n'avons jamais vu son corps. Cela aussi a dû nous créer quelques commotions. C'est sa sœur Anne qui eut la lourde tâche de l'identifier auprès du légiste. Le médecin ne lui montra qu'une légère partie de son visage resté caché sous un drap. Le reste n'était pas visible. « C'était bien son corps, mais ce n'était pas votre père », nous dit-elle au téléphone. Une façon de dire que mon père appartenait au monde des vivants et que tous les morts se ressemblent. Ce fut la dernière fois que des adultes tentèrent de nous protéger un peu. Je leur dois bien ma gratitude. Le corps de mon père venait de passer une semaine au grand air, écrasé contre les roches au pied de la falaise colossale d'où il avait chuté. Je ne sais si la faune sauvage avait déjà eu le loisir de s'y tailler quelques repas, mais nul doute qu'une chute de près de deux cents mètres ne vous laisse pas grand-chose à l'endroit en arrivant en bas. Lorsque je pense aux gendarmes qui durent aller le chercher, à ce qu'ils virent en arrivant, je ressens de la pitié pour eux, et une profonde reconnaissance.

À travers les balais d'essuie-glace, le paysage prend peu à peu la consistance de nos souvenirs. Les forêts de hêtres et de sapins apparaissent, puis la couleur des pierres, des parfums nous reviennent, et cette centrale hydroélectrique moche comme une banlieue moldave qui n'a pas bougé d'un pouce.

— Je me souviens de cette route, me dit mon frère. On est passés par-là avec maman.

C'était le surlendemain de sa disparition. Papa n'avait pas de carte, pas de boussole ni aucun équipement. Cette fois, j'ai étudié l'itinéraire depuis des semaines, passé des heures sur la carte, lu des dizaines de topos, acheté tout le matériel. Le lendemain de sa disparition, les conditions climatiques sont devenues mauvaises. Après trois jours, les espoirs de le retrouver en vie avaient presque disparu.

Au bout d'une semaine, ils s'étaient tout à fait envolés. Je retournai au lycée, où les professeurs me gratifièrent de ce regard de pitié qui salit plus qu'il ne réconforte. Tout demeurait encore abstrait. Papa avait disparu, voilà tout. Ils ne connaissaient pas mon père. Il allait rentrer. Il faisait toujours des choses comme ça. Lorsque la gendarmerie appela Pierre pour lui annoncer qu'ils avaient retrouvé le corps de notre père en bas d'un précipice et qu'ils allaient tenter d'aller le récupérer en hélicoptère avant que l'hiver ne s'installe tout à fait, nous étions le 7 novembre et les premières neiges ne tarderaient pas à tomber. Une fois la vallée immaculée, il faudrait attendre le printemps pour aller chercher le corps de papa, ce dont personne n'avait envie. Pierre me téléphona dans la foulée.

— Ils l'ont retrouvé, me dit-il.

— Et alors ? répondis-je sans bien mesurer la nouvelle.

— Et alors ? Bah il est mort ! Tu croyais quoi ?

Je ne croyais rien, j'avais juste quinze ans. En une semaine, la mort de mon père n'avait simplement pas encore tout à fait réussi à se tailler une place dans la liste des événements merdiques que réserve la vie à un adolescent. C'est l'instantanéité de la nouvelle qui fait qu'on a toujours du mal à comprendre. La vie s'arrête avec les mots. Peut-être n'aurais-je pas dû décrocher. C'était au début des téléphones portables. J'ai appris la mort de mon père en sortant du lycée, à la caisse d'un Franprix, en achetant une cannette de Coca et un Snickers.

Dans la voiture, Pierre me dit qu'il s'en est longtemps voulu de m'avoir répondu si brutalement. Moi, je ne lui en ai jamais tenu rigueur, aucun pansement ne protège d'un coup de massue. J'ai dit OK, puis j'ai attendu le bus comme d'habitude. Je suis rentré chez moi, j'ai fermé la porte, j'étais seul. Il n'y avait comme réconfort que le silence des murs. Rien pour m'empêcher d'être triste. C'est là que j'ai vraiment compris. Ma gorge s'est dénouée et j'ai craqué de tout mon être en déversant des torrents de larmes sur un accoudoir de canapé.

— Je ne t'ai jamais dit merci, dis-je.

— Pour quoi ?

— Pour tout ce que tu as fait pour moi à cette époque.

— De rien. C'était normal !

— T'as été un super grand frère !

Nous allons trop vite. La nostalgie a les attributs des meilleures nuits d'amour. Se presser, c'est inévitablement passer à côté de l'essentiel. Il doit être midi. Pierre et moi avons faim. Nous décidons de nous arrêter dans un routier le long de la route, où une serveuse gothique au visage couvert de piercings sert des portions d'ogre dans un menu unique à quinze euros, vin et café compris. L'occasion rêvée de mettre le destin sur pause.

Lorsque papa est mort, quelqu'un nous a donné le contact d'un guide de la région qui serait en mesure de nous emmener au sommet le jour où nous le souhaiterions. Nous pensions d'abord le faire dès l'été suivant, mais rien ne pressait. Nous n'avions qu'à attendre de nous sentir prêts. En attendant ce jour, nous avons écrit ses coordonnées sur un post-it, rangé cela dans un dossier, mis le dossier dans une caisse et déposé la caisse à la cave, d'où elle n'est jamais sortie. J'y pense depuis quinze ans, peut-être pas tous les jours, mais bien assez souvent pour ne jamais vraiment avoir archivé le projet dans un coin de ma tête. Pierre et moi en parlons parfois, utilisant le conditionnel, « il faudrait », de telle sorte que cette ascension est toujours restée dans la liste des choses à faire que l'on remet à plus tard. À force de procrastination, cette montagne a grandi dans nos esprits. La colline est devenue un mythe et le problème des mythes, c'est que leur magie agit sur les consciences. Pour nous hisser là-haut, les muscles ne suffisent pas. C'est de courage dont nous avons besoin, et d'un supplément d'âme.

Avant que les trains-couchettes pour Bourg-Saint-Maurice au départ de la gare d'Austerlitz ne disparaissent tout à fait, Yann, Paul-Victor et moi prenons soin d'y laisser le souvenir d'une dernière cuite dantesque entre amis d'enfance, dans l'intimité mondaine d'un salon improvisé entre deux wagons.

Fin juin 2016. La saison d'été n'a pas encore tout à fait commencé et nous partons faire le tour du Queyras pour précéder l'arrivée des touristes. En bon camarade, j'ai préparé des sandwichs et acheté du vin pour le trajet. Le gueuleton est honnête, la semaine de travail a été rude, il s'agit d'être en forme dès demain.

Dans notre compartiment, un quadragénaire breton passionné de vieux gréements et de bonnes bouteilles engage la conversation avec l'enthousiasme d'un vétéran du rail. Il nous parle de la mer et nous des montagnes. Il se rend à un mariage avec sa fiancée, dont il n'apprécie pas tellement les amis, compensant son manque d'entrain par un gueuleton pantagruélique. Les pâtés sont somptueux, les rillettes bien grasses. La jeune femme n'en peut plus, elle tombe de fatigue. Lui ne se fait pas prier pour saisir sa chance et venir festiner avec nous, abandonnant son poste de promis pour partager ses vivres et trinquer à la beauté des rencontres fortuites dans les derniers wagons-lits. Nous sommes des survivants, les témoins d'une époque qui rend son dernier souffle. La joie du départ, l'euphorie d'un colloque agréable, Yann a l'idée lumineuse de nous faire goûter un peu de ce rhum ambré rapporté du Brésil dont il prévoit de faire usage en haut d'un col. «Comme du tonneau d'un saint-bernard lorsque le vent nous fouettera le visage». La dégustation tourne court. On s'envoie vite de franches rasades après avoir trempé les lèvres. Au matin, les bouteilles sont vides.

Les yeux vitreux noyés dans un café, arrivés en gare de Ceillac, nous constatons les dégâts d'une ivresse qui s'est invitée à la fête comme un passager clandestin. Les premiers pas sont lourds, ça tire sur les trapèzes, la journée sera longue. Pas après pas, jour après jour, en redressant les vertèbres et en levant le front, je redécouvre le plaisir de la marche qui purge le corps de ses vices et guérit les âmes meurtries. Yann vient de rentrer en France après des années de vadrouille de l'autre côté de l'Atlantique et je sens qu'il doute de ses capacités à se trouver une place dans un pays qu'il ne comprend plus très bien. Sous une carapace fine comme une coquille d'œuf et fendue de toute part, Paul-Victor a le cœur à vif qui suinte une mélancolie douloureuse depuis le décès de sa sœur. Et puis il y a cette rupture qui n'en finit pas et dont il se remet peu à peu. Quant à moi, je chasse mes démons en me hissant vers les cieux, oubliant de craindre la mort à chaque virage. Je fais mon retour à la montagne.

Gentianes, lys, séneçons, ancolies des Alpes, soldanelles, pulsatilles. Nos pieds frôlent les fleurs surgies de ce biotope de schiste et de calcaire. L'été prend ses quartiers. Yann est un documentaire animalier ambulant. Il nous nomme les fleurs et les oiseaux dont il a fait son métier, tandis que Paul-Victor lui donne la réplique en nous décrivant les ruisseaux qui se font et se défont avec la fonte des glaces. Les rivières parlent à ceux qui les observent. Paul-Victor est ingénieur et les réaménage en les végétalisant pour panser les folies du béton des années cinquante sur la faune et la flore rivulaires. Il paraît que rien n'est beau comme un marais qui vit.

L'air pur libère les pensées. Les mots n'ont pas leur place pour dire à mes amis que j'ai confiance en eux. Le terrain trace un sillon alpin en pente douce. La végétation se raréfie et des marmottes peu farouches nous font la fête. Au col de Chamoussière, au loin, le Viso nous aguiche comme s'il nous donnait rendez-vous pour plus tard. C'est vrai qu'il fait envie avec son arête de basalte noir saupoudrée de gros sel. Le panorama doit être beau. De là-haut, on voit naître le Pô et l'Italie se dérouler de toute sa botte. Comme il est, dressé dans le ciel bleu, le Viso a l'air d'un gros gâteau. C'est que la montagne est chafouine. À se donner des airs de douce, elle vous croque une vie sur un flanc lorsqu'on ne s'y attend plus.

Le torrent devient fou, les pierres y roulent et s'y claquent. L'eau glacée emporte tout sur son passage et le boucan nous forcerait à hurler pour parler. Alors nous nous taisons. Les paysages grandioses ont quelque chose de solennel qui réconcilie avec la vie. Le plaisir est dans l'effort, c'est même la récompense. Sentir mes amis près de moi me suffit, les mots sont superflus. Mon père n'était pas bavard. Au milieu des montagnes, je crois que je comprends pourquoi.

Vendredi 30 juin – 15h15

Le parking d'Anéou se trouve à un kilo-
mètre de la frontière espagnole, dans les derniers virages qui mènent au col du Pourtalet.
Tous nos souvenirs s'arrêtent là-bas, figés dans
le temps comme une pièce de théâtre dont il
manquerait le dernier acte.

Nous étions venus là il y a quinze ans, le surlendemain de la disparition. La gendarmerie
avait identifié la voiture de papa et nous avait
aussitôt prévenus. Nous sautâmes dans le
train. Il leur fallait des photos et je devais faire
une déclaration. Un détail avait pu m'échapper. Ma mère nous accompagnait. Passées les
brumes forestières qui la précédaient, nous
nous étions retrouvés tous les trois face à cette
gigantesque dent de granit qui culmine à près
de trois mille mètres et que nous découvrions
pour la première fois. Vu d'en bas, le pic du
Midi d'Ossau est un sacré client. Sa réputation

le précède. L'emblème du Béarn domine la vallée comme un maton sûr de son droit, autoritaire et arrogant. La dent de granit est fendue en deux comme si le sabre d'un géant s'était abattu sur la Terre. En réalité, c'est un ancien volcan dont il ne reste pas grand-chose. Le pic est le vestige d'un cratère vieux de quatre cents millions d'années. Nous avions garé la voiture à côté du Scenic de fonction de papa. Je me souviens avoir fumé une cigarette assis sur un caillou en me disant que c'était quand même un bel endroit pour mourir. Le froid était suffisamment mordant pour se figurer la situation. Les gendarmes du PGHM, spécialistes du secours en montagne, n'avaient pas grand-chose à ajouter. Il n'y avait qu'à lever le nez pour comprendre. Mais on n'accepte pas la mort de son père avec un peu de bon sens et de l'imagination. Il faut la voir pour y croire. En attendant, je n'étais ni triste ni énervé. Incapable de lire mes propres émotions, juste un peu abasourdi.

Dans le train du retour pour Paris, j'avais envoyé un SMS à un ami de vacances qui avait perdu son père d'une crise cardiaque pendant sa baignade l'été précédent. Hydrocuté. Ça n'avait pas le flamboiement d'un vol plané mal négocié, mais enfin, le résultat était le même. Olivier n'était pas vraiment un ami, pourtant il fut le seul avec qui j'eus envie de partager ce que je ressentais à cet instant. Le message tenait en cent quarante-deux caractères dans mon Nokia 32.10. J'ai dû écrire quelque chose comme « Salut Olivier. Comment vas-tu ? Moi bof. Mon père vient de mourir dans un accident de montagne. Peut-être que tu me donneras des conseils. À plus. » Comme si j'entrais au club des orphelins anonymes et que la mort de nos pères pouvait nous rapprocher. Plus tard, j'ai compris que la perte d'un parent est d'une déconcertante banalité. Cancers, maladies en tous genres, infarctus, accidents de la route, attentats. Tôt ou tard, cela arrive. Seul l'âge change, et les circonstances, qui n'ont pas toujours le panache allégorique d'une chute de deux cents mètres du haut d'une falaise.

Pierre et moi n'avons pas reconnu le parking tout de suite.

— Je pense que c'était là, me dit-il tandis que la voiture le laisse s'éloigner dans son rétroviseur.

Je continue cinq cents mètres pour faire demi-tour et touche le sommet du col du Pourtalet où nous n'étions pas montés la première fois. Là nous découvrons un joli petit hôtel dont je ne soupçonnais pas l'existence. Cet endroit m'avait paru désert comme un cimetière, or la frontière entre la vallée d'Ossau et celle de Tena bouillonne de vie. Demi-tour effectué, nous garons la voiture et sortons pour respirer un grand coup afin d'évacuer l'air suranné de nos mémoires. Le parking n'a pas changé, les pierres sur lesquelles je m'étais assis pour regarder le sommet sont bien à leur place. Mais cela n'a rien à voir. Le pic du Midi d'Ossau semble avoir décliné le rendez-vous que nous lui avons donné, tapi dans un épais brouillard qui le rend hermétique à nos prières. Des années plus tard, nous sommes de retour, prêts à écrire le dernier acte de cette tragédie familiale, mais la météo a changé, le ciel s'est bouché. Il bruine un blizzard. Des larmes de pluie perlent sur nos manteaux. Au fond, nous pourrions nous arrêter là. Venir ici était suffisant pour faire le tri dans nos mémoires et rendre hommage à notre père. J'ai même regardé des activités à faire dans les alentours en prévision de la pluie. Rafting, canoë, VTT, sans parler des heures que nous pourrions passer à écumer les restaurants du coin et à tailler une bavette en refaisant le monde. Mais c'est sans compter l'aide de la famille Casadebaig, qui tient l'hôtel du Pourtalet depuis quatre générations, et qui semble nous avoir toujours attendus assis face à notre montagne. Cette fois, le destin nous tend une perche.

Le 16 août 2016, lorsque Clémentine et moi posons le pied à Cartagena de las Indias, nous sommes décidés y écrire nôtre histoire en partant d'une feuille blanche dans un carnet de voyage tout neuf. La veille, nous avons quitté Paris pour la Colombie, abandonnant nos vies sans être tout à fait tranquilles quant à celle qui nous attend. Nous sautons dans le vide en ignorant la profondeur des fonds. Au moins avons-nous rendez-vous de longue date avec nos amis Pierre et Johanna pour célébrer leur mariage, fruit d'un amour érigé en passerelle entre la vieille Europe et la pas tellement plus jeune Amérique du Sud. On m'avait parlé de la ville, de ses remparts, de sa citadelle coloniale et du couvent de la Candelaria.

Mais la première chose qui vous surprend en arrivant là-bas, c'est l'humidité poisseuse qui vous assomme en vous faisant bénir l'inventeur du ventilateur et prier pour la mémoire de celui de la climatisation. Les conquistadors espagnols étaient un peuple du Sud, ils devaient avoir les chromosomes adéquats. Pour ma part, je m'éponge le front sans discontinuer.

Avec leurs sourires inébranlables et leur déhanché d'invertébrés, certains peuples donnent des complexes sur notre capacité à faire la fête. Les Colombiens savent se marier, sans aucun doute. Si surprenante soit-elle, leur coutume de boire du whisky à table en remuant les épaules et en tapant des mains sur des rythmes de cumbia a fait ses preuves pour lancer la soirée. Que veut-on ? C'est plus pétillant qu'une valse autrichienne pour détendre les esprits grincheux et faire monter la sauce entre deux discours de témoins narcotiques. Puis lorsque l'heure est venue, une frénésie intergénérationnelle s'empare des convives et la fête s'emballe à la vitesse d'une plaque de neige qui décroche. Pierre et Johanna ont un bout de soleil coincé dans l'alliance. Le soir des noces, garder le costume sur le dos s'avère de moins en moins tenable à mesure que les heures passent. J'ai la tête dans le ventilateur, tentant de faire preuve d'un minimum de savoir-vivre pour faire honneur au photographe et à la postérité de son travail. Les femmes d'ici portent des robes tropicales qui tiennent en équilibre sur des poitrines surnaturelles, alors les regards se troublent tandis que les esprits entrent en ébullition.

— On appelle ça la *hora loca*, me dit mon ami Pierre en distribuant des cotillons et des chapeaux ridicules. Tiens-toi prêt, tu vas voir!

Quand minuit sonne, je découvre que le poids de la tradition n'a pas que des travers. C'est l'heure folle. L'explosion de joie est bien réelle. Des danseuses à demi nues, aux jambes d'antilopes, traversent la piste en se faisant frétiller la lune. Mains sur les hanches, sourire de naïades, un pas avant, un pas arrière. Les grands-mères d'ici sont tentées de les imiter. On voit luire dans la moustache de leurs sourires dorés la nostalgie bienveillante de celles qui ont suffisamment fait la fête pour s'en aller en paix, avec un zizi en plastique sur le nez. Cravates nouées sur la tête et maillot de corps imbibés de sueur, cette parade en débandade a une certaine élégance. Tout est dans les pas de danse dont je n'ai malheureusement pas le secret. J'ai beau essayer, chez moi, cela fait tache. Celui qui a plongé en premier dans la piscine a libéré tous les autres. Depuis des heures, l'eau fraîche faisait de l'œil à tous les invités. Maintenant, elle déborde de monde. Le cortège nuptial a volé en éclats en même temps que les habits d'apparat. Au diable les protocoles. Place à la fête !

En Colombie, Clémentine et moi entamons notre mue. Oublier ses habitudes pour explorer de nouvelles facettes de son être est un processus lent. J'ai du mal à déconnecter malgré mon désir d'ailleurs. Un couple, c'est un rythme. Que se passe-t-il quand on en change ? D'abord, c'est l'ataraxie. Balancements de hamac et longues heures de lecture. Des terres arides de la Guajira jusqu'aux montagnes de Medellin où nous nous attardons, je lis Alexandre Dumas, Romain Gary et Jack London.

Yvan et Angela nous accueillent chez eux quelque temps. Lui est né ici, elle est canadienne. Ils ont quitté Montréal pour revenir s'installer sur les collines de Pereira, où ils ont entrepris de retaper une ruine et d'y cultiver des légumes avec leurs deux enfants. Toutes leurs économies sont parties dans l'achat de la maison et du terrain qui l'entoure. Je pense qu'ils ont quelques regrets désormais en mesurant l'ampleur de l'entreprise. Avec eux, nous touchons du doigt la réalité de cette pauvreté qui rattrape comme un coup de houssine les idéalistes béats. Je vois bien qu'ils ont faim puisque mon estomac crie famine. Les dîners sont constitués de deux *arepas* par personne, ce sont des galettes de pain fades à la farine de maïs, ainsi que deux tomates et un avocat que nous partageons. À nous tous, nous vivons avec deux ou trois dollars par jour. Pour survivre, Yvan et Angela enseignent dans les environs et payent leur liberté à prix d'or en travaillant comme des forcenés. Le soir, ils s'écroulent en silence, abandonnant les gamins devant la télévision. Pendant ce temps, Clémentine et moi passons nos journées à défricher la terre, que nous rouons de coups de pioche pour aménager les cultures en terrasses sur ce jardin en pente. Travailler la terre en silence nous réapprend notre corps et me permet de penser à mon père. Je le revois passant ses journées à tailler les ronces du jardin pendant l'été. Le processus est en marche, sans savoir encore vers quoi il nous mènera.

Une certitude toutefois : sûrement pas à cette vie-là.

Le village de Salento se trouve au sud de Medellin, à l'ouest de Bogota, au cœur de la *zona cafetera* : c'est là, au milieu de ces collines vertes et humides, que l'on produit la majeure partie du café colombien, et sans aucun doute le meilleur. Dans un restaurant de la *carrera* principale, Clémentine et moi avalons un plat du jour contre quelques *pesos* lorsque l'écusson de guide de montagne cousu à l'épaule de mon voisin attire mon attention.

— Vous êtes guide ? dis-je.

Diego est un ancien champion de VTT qui a porté les couleurs de la Colombie lors des Jeux olympiques de Sydney. Les esprits meurtris ressassent leurs drames à qui veut bien les entendre. Le sien a été de chuter dans son troisième tour de piste en Australie et de se casser trois côtes en passant par-dessus son guidon. Remonté en selle en tâchant d'ignorer la douleur, il abandonna quelques minutes plus tard et dut être évacué d'urgence sur civière. Le lendemain, Diego était de retour chez lui et rangeait son rêve de médaille olympique au fond d'un placard à regret.

— Oui, répond-il. Que puis-je faire pour vous ?

Il n'y a pas si longtemps, le parc des Nevados était aux mains des groupes armés, qui le rendaient inaccessible. Lorsqu'il a pris sa retraite sportive, Diego a senti le vent tourner et créé une agence de guides pour accompagner les premiers balbutiements d'un développement touristique en montagne. Les guérilleros ne tarderaient sans doute pas à déposer les armes. Aujourd'hui, les jeunes Colombiens sont de plus en plus nombreux à venir se promener le week-end. Chaussés de talons hauts ou de claquettes, ils s'aventurent en lisière de jungle ou font parfois des promenades à dos de canasson. Mais pour grimper aux sommets, c'est une autre histoire. Ces derniers sont trop loin et trop hauts pour se rendre accessibles au public. En Colombie, le matériel d'alpinisme est presque introuvable et les sentiers souvent impraticables à cause des glissements de terrain provoqués par la pluie. L'alpinisme n'est pas encore démocratisé dans ce pays qui adopte les loisirs nord-américains à toute vitesse, mais qui souffre de la concurrence de son voisin, l'Équateur, et de son « avenue des volcans ».

Le Nevado del Tolima culmine à cinq mille deux cent quinze mètres d'altitude. Je ne suis jamais monté si haut et malgré mon excellent état de forme, je n'ai pas la moindre idée de la façon dont mon corps réagira. La plupart du temps, le mal aigu des montagnes commence à se faire ressentir autour de quatre mille mètres. Il se manifeste par des migraines, des vertiges, l'envie de vomir et plus rarement par des saignements de nez. Le sang manque de globules rouges, le cerveau n'est plus suffisamment oxygéné. J'ai déjà vécu cela au Pérou. On chiquait des feuilles de coca pour combattre la douleur et s'adonner joyeusement aux pratiques locales. Si cela devient vraiment insupportable, il faut redescendre. Le pire, c'est l'œdème. Inutile de chercher une cabine de dépressurisation dans le coin.

— Tu peux monter à cinq mille mètres si tu le souhaites, me dit Diego. Il faut juste être patient et t'acclimater correctement. Si tu viens avec moi ou mon guide, je te garantis que tu vas au bout.

Le lendemain de très bonne heure, nous montons à l'arrière d'une Jeep surchargée qui nous conduit aux abords du parc. Dans une brume épaisse et une végétation boueuse, nous nous mettons en route. Clémentine m'accompagne le premier jour, mais elle ira triompher d'un autre sommet demain. Le soir, nous arrivons dans un refuge aux murs de torchis et au toit de tôle. Œuvre d'une autre époque où deux cochons s'agitent parmi les poules en nous sentant arriver. La journée nous a ramassé les rotules et ce repos est bienvenu. Une famille d'éleveurs de bétail vit là, au milieu des bêtes et des herbes hautes, sans eau chaude ni électricité. Il n'existe pas de route pour venir ici et le premier village est à plus d'une journée à dos de cheval. Demain, comme chaque semaine, le petit Angelo, atteint d'une grave maladie mentale, devra y descendre avec sa mère pour voir un médecin et recevoir son traitement. Le jour, la femme cuisine et lave le linge tandis que les hommes mènent les bêtes en pâture. Le soir, le froid et le silence s'installent et on se serre les uns contre les autres après du feu. Dans la cuisine, on boit une soupe de lard et de maïs bouilli sur les braises pour se réchauffer les phalanges, puis nous partons nous coucher dans le froid sous une montagne de couvertures crasseuses, en enviant le chien qui profitera seul de la chaleur des fourneaux toute la nuit. Les températures sont tombées sous zéro. Ce n'est pas un refuge, c'est une machine à remonter le temps.

L'ascension a lieu au matin du troisième jour, après une interminable marche d'approche à la frontale en communion avec les étoiles. Nous avons quitté le refuge vers minuit pour nous enfoncer seuls, mon guide et moi, dans ce décor lunaire. Humide et silencieuse, la montagne est à nous. Au petit matin, nous atteignons les premières glaces au moment de rejoindre deux alpinistes belges qui ont campé là et auprès desquels je finirai la course. Je n'ai jamais chaussé de crampons, c'est une première pour moi que d'enfiler ces grosses dents d'acier sur mes chaussures, qui n'en sont pas à leur coup d'essai. À l'intérieur, j'ai recouvert mes pieds de sacs plastiques pour en améliorer l'isolation thermique et l'imperméabilité. Nous ne sommes que six sur la montagne, qui n'a pas été gravie depuis des jours. La glace ne laisse apparaître aucune trace pour nous guider. La neige est vierge. La migraine me rattrape. J'ai de plus en plus mal à la tête. Mon guide se blesse au pied. Par chance, je rejoins la cordée des deux Belges et leur guide, qui veulent bien m'accueillir et nous continuons de monter. Dans cette nuit qui n'en finit pas, j'ai le souffle de plus en plus court, je doute, je me demande ce que je fais là. Il est cinq ou six heures du matin, mon bonnet fume et mes lobes frontaux font du bouillon. Pas après pas, je me dis que je vais bientôt abandonner. À quoi bon continuer ? Je n'en peux plus. Mon piolet sent bien que je vais m'écrouler, alors il me supporte tant qu'il peut pour que je continue à enfiler les pas, machinalement, comme des perles sur un collier. Puis le vent se lève pour nous fouetter le visage. Le brouillard s'invite avec lui. Je ne vois pas à un mètre. Tant qu'on marche, le froid est supportable, mais s'arrêter, c'est mourir. La fatigue a envahi chaque muscle de mon corps, ou est-ce dans ma tête ? Je ne peux pas croire que des gens montent au sommet de l'Everest sans oxygène et que je ne sois pas capable de me hisser trois mille mètres plus bas. Ce genre de pensée me raccroche à ma peine. Ça froisse mon orgueil. La cordée continue de cheniller. Un accordéon qui se tend et se détend, le temps de reprendre notre souffle. Je ferme la marche, sans savoir si je pousse les deux Belges ou si eux me tirent. Nous fournissons tous le même effort, égaux face à la pente et aux douleurs qu'elle nous inflige. C'est ce qui nous fait tenir debout. Ici, les raccourcis n'existent pas. Tout en continuant d'avancer, je me répète des milliers de fois cette phrase de Yann comme un disque qui tourne en boucle : « Quand tu crois que tu n'en peux plus, tu n'es qu'à dix pour cent. » Je sais qu'il a raison. L'homme est un surhomme qui s'ignore. Le corps humain est plein de surprises et de ressources insoupçonnées. Nos vies d'urbains nous ramollissent, mais nos capacités restent inchangées. Au moins, j'essaye de m'en persuader, cela me maintient dans le tempo. Cela dure des heures ou des minutes, je ne m'en souviens pas. Après avoir franchi un dernier sérac et longé une crevasse titanesque, le dôme du Tolima se dégage enfin devant nous pour nous souhaiter la bienvenue et récompenser notre effort. Mon piolet et moi exultons. Soufflés par l'aube qui les chasse de ses rayons lumineux, les nuages se dissipent d'un seul coup en nous voyant arriver. Autour de nous, la vue s'étend à l'infini, et le regard porte aussi loin qu'il nous est possible de voir. Sous nos pieds, j'aperçois les planches et les tôles de la caserne minuscule que nous avons laissée derrière nous dans la nuit. Au sommet, la fatigue a disparu. Je me sens fier. Alpiniste.

En secondes noces, ma mère épousa Fredo, qui avait déjà eu Benjamin. De leur union naquirent Hugo et Félix. Nous n'avons pas le même père, mais ce sont bien mes frères. Fredo ne disait rien. C'était le ciment, les fondations. Le tronc qui ne bouge pas et auquel on se rattrape quand tout fout le camp. C'est à lui que maman s'est accrochée. C'est sur son épaule qu'elle a dû craquer quelques fois. À nous, elle ne nous montra jamais rien. Hugo s'est approché de nous en pyjama. Il traînait les chaussons. Le front baissé sous ses boucles d'or, il avait l'air d'un Petit Prince égaré lorsqu'il a dit : « Xavier est monté au ciel ? » C'était devant le portail, dans le jardin de la maison de Garches. Nous nous étions tous retrouvés. Félix savait à peine parler, mais il comprenait les mots des grands, mâchouillant son doudou avec la vigueur d'un lionceau pour réprimer la tension mortifère présente dans l'air. Les chagrins sont contagieux. Ma mère essayait de leur expliquer pourquoi les deux aînés pleuraient. Elle connaissait aussi l'histoire de mon père, et savait que le fait d'enterrer les morts ne doit pas empêcher leur nom de continuer à vivre. Maman avait du chagrin, de la colère surtout, mais elle tâchait de tenir la barre. Gros temps, grosses responsabilités. Elle s'inquiétait pour nous. Lorsque la mort s'invite dans les familles, elle ne se préoccupe pas de l'âge de ceux qui la composent. Félix avait deux ans, Hugo trois de plus. Xavier, c'était le père de leurs frères, le monsieur qui venait les chercher le vendredi et qui les ramenait le dimanche. Tout le monde était concerné. Nous avons fait un câlin tous les cinq, tâchant de nous délester d'un peu de douleur en les laissant en absorber quelques gouttes pour nous en soulager. Leur présence me réconforta. Vis-à-vis d'eux, nous non plus nous ne pouvions pas nous laisser abattre. La meilleure façon de faire face à la mort, c'était de lui montrer que la vie continue. Je redoublai ma seconde haut la main, mettant toute mon énergie à fumer des joints cette année-là pour être tout à fait certain d'y parvenir. Ma mère serra la vis jusqu'à faire vriller le boulon. Il y eut des cris. Elle fit preuve d'autorité, refusant de nous laisser nous apitoyer sur notre sort. Son défi désormais serait de porter la charge que papa lui avait égoïstement laissée en mourant : faire de leurs fils des hommes heureux et accomplis sans empiéter sur le droit à l'enfance des trois derniers.

Ma mère n'est pas une femme de discours. Elle a une forme de sainteté moderne dans sa façon d'aimer avec efficacité. Ça tient dans les gestes. Les mots importent peu, sauf peut-être lorsqu'ils sont calmes et réfléchis, dits dans l'intimité d'un tête-à-tête. Autrement, c'est une tempête. Le genre de femme à faire rougir de honte les cinquantièmes hurlant en leur priant de presser le pas. En attendant, elle fume parce que rien ne va jamais assez vite. C'est sa façon d'aimer sans compter, d'exister pour les autres, de décupler d'énergie dans l'injustice et la difficulté, et de biberonner sur ses mégots sans arrêt pour avoir l'impression de continuer d'agir même quand elle ne fait rien. J'ai appris avec elle qu'il y a les causes, les choses graves, et le reste. Sa conviction profonde est que l'amitié est éternelle tant qu'on ne pense pas qu'à son nombril, que le bonheur est dans le don de soi, et que ses fils sont des êtres un peu exceptionnels, mais pas trop.

Vendredi 30 juin – 15h30

— On y va ?

Chaussures aux pieds, bâtons de randonnée aux poignets, Pierre et moi enfilons notre
attirail après avoir veillé à en arracher les éti-
quettes de prix pour ne pas avoir trop l'air de
novices si nous croisons du monde. Nous partons à l'attaque de cette épaule qui nous fait
face sous la soupe gadouilleuse du brouillard
pyrénéen. Depuis que nous avons atterri ce
matin, pas un instant la pluie n'a cessé de
tomber. Le sol est gorgé d'eau. Nos pompes
font pouic-pouic. Les sentiers boueux ruis-
sellent comme des fleuves, mais qu'importe.
Si la météo dit vrai, dimanche, il fera beau.
C'est ce jour-là que nous tenterons le sommet. D'ici là, l'air pur de la montagne et le
vent frais sur nos visages nous revigorent et
nous préparent. Rien de tel pour s'échauffer
et prendre nos repères, car ni l'un ni l'autre

ne sommes vraiment confiants sur notre état
de forme.

Au départ, c'était une idée de mes cousins
Gilles et Sébastien. Réunir début juin ceux qui
le souhaitaient, cousins, oncles et tantes, dans
la maison de famille de Pralognan-la-Vanoise,
que mon oncle Pierre a rachetée à ses sœurs à
la mort de notre grand-père. Nous n'y sommes
presque jamais retournés alors que nous y avons
une montagne de souvenirs heureux. L'idée est
excellente, tout le monde est ravi. Ma mère et
ses sœurs jubilent. Quant à moi, emporté dans
l'élan des sommets que j'ai dévalés ces derniers
mois, j'ai proposé à Gilles et Sébastien de pro-
longer le plaisir et de randonner autour de la
Vanoise quand les autres seront partis.

Lorsque nous arrivons au village, les cols
sont encore enneigés. Le projet initial s'avère
impossible. La femme qui nous ouvre la
maison porte le complet noir du deuil et sa
peine harnachée au fond des yeux. Pendant
quelques minutes, elle contient ses larmes,
puis elle explose en sanglots lorsque ma mère
ose avec pudeur lui demander comment elle

se sent. La tristesse manque toujours de superlatifs. La semaine précédente, son fils, sa belle-fille et leur ami qui était guide, trois enfants du pays, se sont tués dans une avalanche sur le col du Greffier. Des trentenaires fauchés par une coulée de neige sur un itinéraire pourtant sans histoire. Toute la vallée était à leur enterrement. Trop jeunes pour mourir. La mort, encore elle, la montagne aussi.

Du hameau de la Croix où se trouve la maison, on monte au col de la Grande Pierre en passant par la crête du mont Charvet et la pointe de Villeneuve. Enfant, c'était une ascension douloureuse, mais devenu adulte, tout cela n'est plus qu'une promenade réjouissante. Mes souvenirs me portent, le museau tendu vers les parfums de mélèze et de sève que je retrouve inchangés en lisière de forêt. L'extase et l'émotion m'envahissent, j'ai l'impression de retrouver une partie de mon être que j'avais oubliée là, entre les cabanes et le torrent qui s'agite plus bas. Nom de Dieu, je suis un enfant de cette terre! C'est Évariste qui me l'a dit. À dix ans, c'était mon héros. Il m'a reconnu au premier coup d'œil. Il est même venu boire un verre et parler du passé comme si nous nous étions quittés hier.

— J'achèterais bien une maison ici, lui ai-je dit. Tu crois que c'est possible ?

— Les bonnes affaires passent entre les familles. Ici, les gens n'aiment pas trop les étrangers.

— Donc c'est impossible ?

— Toi, c'est pas pareil. Tout le monde sait qui tu es.

La vue sur les pistes de Courchevel est aérienne. De là-haut, la Grande Casse nous surveille. Papa aimait venir ici. C'est ce qui lui a le plus manqué après le divorce. Ces montagnes où il venait s'user les semelles pour se sentir vivant. Quand il ne voulait pas être gardien de phare, il disait qu'il aurait voulu être guide. C'est un beau métier. J'aurais aimé qu'il le soit. De pierre en pierre, mes pieds bondissent tandis que mes cousins suivent en implorant grâce. L'hygiène de vie parisienne leur colle aux poumons et leur cisaille les quadriceps, mais je crois qu'ils aiment ça car dans leurs gémissements lamentables, douleur et volupté se confondent. Lorsque nous arrivons au col après avoir franchi les crêtes, le passage est encore recouvert de neige. On y distingue nettement la trace qu'Évariste m'a dit avoir faite la veille. Alors, je saute dans le névé pour me jeter dans la pente et la dévaler en talons-ski. Mais ma jambe se bloque, mon genou tourne, la rotule vrille, une douleur électrique me parcourt le corps. Entorse. Au sommet de la poisse, je n'aurais pas pu aller plus haut.

Ce n'était pas Chamonix Zermatt, mais tout de même. Combien d'alpinistes peuvent-ils se vanter d'avoir traversé un pierrier à cloche-pied et ainsi dévalé une face nord au moins une fois dans leur vie ? Lorsque j'arrive à la maison après des heures d'une descente douloureuse, mon genou a triplé de volume et la séance de cryothérapie que j'improvise sous l'eau gelée du bachal n'y change pas grand-chose. Je boite comme un pied-bot, alors que dans cinq semaines, j'ai rendez-vous avec la montagne de mon père et je ne manquerais cela pour rien au monde. Ma mère me lance des regards de tendresse tandis que je mange mon pain noir en silence. J'enrage.

Le mois suivant, au moment où Pierre et moi nous lançons à l'assaut de cette pente de boue et de brume qui n'effraierait pas une enfant de six ans, c'est avec l'appréhension inavouable d'un accidenté de la route qui reprend le volant pour la première fois. Quand nous arrivons sur l'épaule, trempés comme des éponges, tout m'a l'air à sa place. Vu le temps, rien ne sert de s'attarder. Nous redescendons aussitôt. De retour à la voiture, je suis convaincu de l'essentiel. On tient la route.

La capitale de l'Équateur est une cuvette sertie de volcans. Du centre de Quito, on accède aux pentes du volcan Pichincha par un funiculaire qui monte sur le plateau du *páramo* d'où le sommet n'est plus qu'à deux ou trois heures de marche. Monter à quatre mille deux cents mètres est une promenade de santé pour tout randonneur aguerri, et vivement recommandé à ceux qui aspirent à vaincre les six mille deux cents mètres du Chimborazo et qui doivent avant cela s'acclimater à l'altitude. Depuis trois ou quatre semaines, je n'ai jamais été aussi en forme. Je ne marche pas, je vole. Mes jambes me catapultent. En Colombie, le Nevado del Tolima m'a ouvert l'appétit. Une semaine plus tôt, à Otavalo, dans le nord du pays, j'ai croqué les pentes du Fuya Fuya en quelques heures, et j'aurais pu engloutir le cratère de l'Imbabura dans la foulée si nous n'avions pas été contraints de faire demi-tour : les nuages bouchaient le sommet. Clémentine fut prise de migraines. Il était plus sage de redescendre. Un peu avant notre venue, des touristes anglais se sont perdus dans la forêt au pied des pentes du volcan. Les secours ont mis trois jours à les retrouver. Lorsque je suis arrivé à Quito, j'ai voulu en découdre avec la tectonique des plaques et manger du dénivelé jusqu'à satiété. Nous nous sommes mis d'accord. Clémentine fait sa vie, je fais la mienne. Elle prend des cours d'espagnol, je suis parti grimper. On se retrouve dans quelques jours. En attendant, les montagnes sont à moi. J'avais rendez-vous avec Paul, un jeune guide de montagne que j'ai retrouvé sur la terrasse du McDonald's de l'avenue Amazonas. Il a pris note de mon envie d'altitude, et nous avons décidé ensemble du programme pour rendre cela possible. Ce sera l'aiguille du Sincholagua pour commencer, avant l'ascension crevassée du Cayambe et de ses cinq mille sept cent quatre-vingt-cinq mètres.

Pour me mettre en appétit, j'ai décidé de monter au Pichincha afin de garder la forme, profiter de la vue et admirer le panorama de la cordillère andine depuis le ciel. Le plaisir de la marche ne se démocratise pas aussi vite que je le pensais. La montagne est presque vide, peut-être à cause de la brume. En sortant du funiculaire, je fais la connaissance de trois Français que j'aborde lorsque j'entends qu'ils nourrissent le même projet que moi ce jour-là. Faisons donc le chemin ensemble. Au bout d'une centaine de mètres, nous bifurquons à gauche au lieu de prendre à droite. J'ai bien fait la remarque, j'ai vérifié, il me semble que c'est la mauvaise direction, mais l'autre paraissait sûr de lui. Il a téléchargé la carte dans une application sur son téléphone, alors je n'insiste pas. Une promenade en vaut une autre et leur compagnie est agréable. Les erreurs s'accumulent aussi funestement que les courriers de relance du Trésor public dans la boîte aux lettres d'un mauvais contribuable. Le sommet n'est jamais tellement loin. Il apparaît dans un virage, puis disparaît dans le suivant. Le chemin semble tracé même si on ne sait plus toujours si on avance ou si on recule. D'après la carte, nous devrions trouver un raccourci. De toute façon, avons-nous encore le choix si nous voulons rentrer avant la nuit ? Le temps de se rendre compte que l'on s'est égarés et de l'admettre devant le reste du groupe, il est souvent trop tard quand on se décide à réagir. C'est la vie qui tire la sonnette d'alarme. Quand nous prenons la mesure de la situation, cela fait bien cinq ou six heures que nous arpentons un itinéraire qui n'était pas le bon. Nous avons totalement contourné le sommet et nous voilà au pied de sa face nord, la plus raide, sans savoir ce qui nous attend ni même si elle est vraiment praticable. La montagne est inintelligible, pas plus bavarde qu'un autre jour. La questionner du regard ne nous apporte rien. On croit bien y distinguer un sentier ou une voie qui passe entre les rochers, mais c'est léger. Trois solutions s'offrent à nous : tenter le sommet par cette face pour espérer redescendre par le chemin ordinaire. Revenir sur nos pas. Ou couper à travers les herbes hautes qui suivent le cours d'eau en fond de vallée et tenter de rattraper ainsi la route. J'étais parti marcher quelques heures, il faisait beau, je n'ai emporté qu'un litre d'eau pour tout ravitaillement, rien à manger et je ne suis pas équipé pour faire face aux températures qui vont inexorablement tomber. Personne ne l'est. Désormais, c'est une course contre la nuit qui commence. Les batteries de nos téléphones seront bientôt vides, nous n'avons pas de lampe ni de réseau. Je mets rapidement un veto sur la première option, soulevant le danger qu'elle représente. Sans en souffler mot, je pense à mon père. Tenter le sommet par ici, c'est de l'alpinisme improvisé et le meilleur moyen d'y laisser sa peau. Nous n'avons ni corde ni casque. Une glissade et c'est fini. Faire demi-tour nous engagerait dans cinq heures de marche au moins en pressant le pas, sachant que nous n'avons plus la fraîcheur du matin. Il fera nuit avant d'arriver, et le funiculaire aura fermé, nous devrons descendre à pied à Quito, ce qui nous rajoutera au moins une vingtaine de kilomètres et nous forcera à traverser un coupe-gorge en pleine nuit avec nos têtes de blancs-becs et nos vêtements couverts de boue. Sans être tout à fait réjouissante, la troisième option semble la moins mauvaise. C'est celle que nous choisissons. En espérant arriver à l'heure, nous nous engageons dans une interminable descente en enfer, glissant dans l'adret sans mesurer la hauteur des herbes gigantesques que nous allons devoir affronter ni l'énergie que nous allons y laisser. Nouvelle erreur. Quand nous en réalisons l'ampleur, il est trop tard pour faire demi-tour. Nous avons déjà descendu trois ou quatre cents mètres de dénivelé. Le sol est cotonneux. Je ne vois pas mes jambes, étouffées par la végétation. Parfois, je pense que le plus dur est derrière moi, puis le sol se dérobe sous mes pieds et je m'enfonce jusqu'à la taille. Mes vêtements trempés me collent à la peau. Je suis une flaque, mouillé jusqu'aux os. Nous commençons à franchement fatiguer.

Là-haut, sur la cime rocheuse taillée comme une lame, la brume s'est accrochée. On dirait que la garce hésite à nous tomber dessus pour mettre le coup de grâce. On doit lui faire pitié. Inutile de paniquer. J'essaye de rester optimiste et de prendre tout ça avec le sourire, mais au fond de moi, je sais que c'est une connerie digne de celles de mon père, et je me méprise pour ça. Me voilà embourbé avec des inconnus. Au moins, je ne suis pas seul, le tort est partagé. Ça ne nous sauvera pas, mais ça me réchauffe le cœur de savoir que si je suis le dernier des imbéciles, je suis dernier ex aequo. Des chevaux sauvages nous observent d'un peu plus haut sur le plateau. Ils doivent se fendre la gueule en nous voyant nous enfoncer dans cette galère. Cet endroit n'est pas fait pour les hommes. On taille la route sur des sentiers qui n'existent pas, puisant chaque mètre que nous gagnons dans le peu de ressources qu'il nous reste, et au bout de trois heures de ce combat de damnés dans une végétation de misère, lorsque enfin nous trouvons le chemin, nous nous croyons sauvés. Mais le but est encore loin et l'obscurité nous poursuit. En bas, Quito s'illumine. Si la nuit nous tombe dessus, nous sommes morts. Alors on presse le pas à la poursuite de la lumière qui s'enfuit. Les spots lumineux du funiculaire nous apparaissent au loin comme le premier bout de terre devant l'étrave de la Santa Maria. Christophe Colomb était sauvé, nous aussi, rescapés d'une montagne qui nous laisse sortir de son antre sains et saufs. Soulagés, enfin! Une tape dans les mains pour nous congratuler de cet exploit absurde, nous causons de la douche chaude qui nous attend, de poulet grillé et de cette bière fraîche dont nous n'osions plus rêver. À vol d'oiseau, moins de cinq cents mètres nous séparent de l'endroit où nous nous sommes rencontrés le matin. Nous touchons au but.

Les coureurs cyclistes savent qu'il ne faut jamais lever les bras avant d'avoir franchi la ligne. C'est une erreur de débutant qui peut vous coûter la victoire. Notre soulagement est de courte durée. Si nous suivons le chemin, qui nous impose de remonter une lourde pente, outre le fait que nos jambes pèsent des tonnes et que nous les traînons plus qu'elles ne nous portent, jamais nous n'arriverons à l'heure. Tandis que si nous rattrapions la route goudronnée qui passe en contrebas dans le renfoncement d'un lacet, nous gagnerions de précieuses minutes. De retour dans les herbes hautes, nous jetons nos dernières forces dans la bataille avec l'entrain de trois cochons qui partent à l'abattoir. En moins de dix minutes, la route apparaît sous nos yeux, à quelques dizaines de mètres. Soudain, les phares d'une Jeep nous éblouissent, ils marquent le retour à cette civilisation que nous aspirons tant à retrouver. Depuis le matin, nous n'avons pas aperçu l'ombre d'un être humain. Enfin nous y sommes. Stop! Sous nos pieds, c'est le gaz. La route est bien là, mais dix mètres plus bas, taillée dans une dalle qui forme la corniche du haut de laquelle nous aurions pu nous jeter si nous avions marché dans l'obscurité avec un peu plus d'entrain. C'est désormais à la lumière mourante de nos téléphones portables que nous évoluons. Le dévers n'est pas trop méchant, le but n'est qu'à une longueur de corde, on hésite même à s'y lancer en tentant le passage de varappe. Franchement, ça passe ! Quelques mètres à désescalader les mains sur les écailles et le tour est joué. La fatigue corrompt le jugement. La visibilité est nulle, la roche humide. L'un de mes compagnons tranche :

— Ce serait vraiment trop con d'avoir un accident maintenant, les gars.

C'est sûr qu'il est plus sage de renoncer. Le danger serait de croire que les accidents n'arrivent qu'aux imbéciles, et de se penser assez malin pour ne jamais en faire partie. À cet instant, mon esprit tergiverse. Nous ne sommes pas passés loin de sacrifier le peu de sécurité qu'il nous restait pour nous épargner l'effort pénible que nous allons encore devoir fournir. Merde ! Quel imbécile je fais ! Plutôt passer la nuit dans la boue à crever de froid que de me rompre le cou en glissant du haut d'une falaise. Mourir comme mon père, en plus d'être dommage, ce serait franchement ridicule.

Il nous faut remonter la pente en pleine nuit, lutter contre les branches, manger des épines, tirer sur les touffes d'herbe et tenter de contourner la dalle pour trouver un passage plus facile. C'est raide. Nous avançons en silence, à la lumière de nos lanternes et de la lune qui veut bien nous guider un peu. Seules nos respirations sont là pour nous rappeler que nous sommes bien vivants, et parfois le gémissement agonique de l'un d'entre nous qui glisse en s'étalant de tout son long. Depuis quelque temps, la fatigue m'a plongé dans une transe dans laquelle mes sens sont aux aguets tandis que mon esprit voyage. Mon corps s'est instinctivement mis en mode survie. « Quand tu crois que tu n'en peux plus, tu n'es qu'à dix pour cent de tes capacités. » Au fond de moi, je sais ce dont le corps humain est capable. Même à bout de forces, j'ai bien plus de ressources que je ne me l'imagine.

Mes pieds foulent le bitume avec plus de honte que de satisfaction. Je chancèle. La tension contenue dans mes muscles et mon esprit se relâche. Même si nous ne sommes pas encore parvenus à destination, quoi qu'il arrive, nous sommes en sécurité. Il ne reste que quelques minutes pour atteindre le funiculaire avant sa fermeture, alors une dernière fois, nous accélérons. Notre ineptie est d'une constance déconcertante. Dans l'obscurité, nous choisissons encore la mauvaise direction et nous nous éloignons au lieu de nous approcher du but. Cinq minutes pour nous en rendre compte. Il est trop tard. Nous sommes bons pour rentrer à Quito à pied.

Toujours avoir au moins une bonne idée par jour. Le type qui nous reconduit en ville moyennant quelques dollars n'a pas caché sa surprise en nous voyant taper à la porte de sa maison au milieu de la nuit. C'est un employé municipal, un éboueur moustachu qui vit sur les hauteurs avec sa femme et sa fille.

— On vient du Pichincha, on s'est perdus.

C'est la fille qui nous a ouvert. Elle nous a regardés hébétée, comme si nous étions trois extra-terrestres qui passions faire le plein de sans-plomb.

— Vous pouvez nous redescendre à Quito ?

— Et nous donner de l'eau, ai-je ajouté.

Deux voitures sont garées devant la maison. Son père s'est levé.

— Comment êtes-vous arrivés jusqu'ici ?

La réponse est pourtant simple. Nous avons marché une douzaine d'heures dans la montagne en cumulant à peu près toutes les erreurs qu'il était possible de faire, chaque fois en tentant de limiter les conséquences de la précédente. Il est sidéré par ce grand chelem de la bêtise. Assis à l'arrière de son pick-up, la route me paraît interminable. Je vois défiler les kilomètres sans oser imaginer comment j'aurais pu les parcourir à pied.

— Vous avez bien fait de venir taper chez moi, car vous auriez pu avoir de sérieux problèmes si vous étiez descendus par vos propres moyens. C'est dangereux par ici, surtout pour des *gringos* comme vous !

Le type nous laisse au croisement de deux artères dans un quartier du sud de Quito, puis il disparaît en empochant ses quinze dollars qui, pour moi, en valent mille. La ville est de retour, bien vivante auprès de nous avec ses lampadaires incandescents et ses fumées d'échappement nauséabondes.

— Bon, bah, bon retour chez vous.

Je serre la main à mes compagnons d'infortune sans épiloguer sur la journée que nous laissons derrière nous. Nous n'échangeons pas nos adresses, et aussi sûrement qu'ils le font pour moi, j'efface leurs noms de ma mémoire afin de ne garder aucune trace de cet exploit ridicule. Certains faits d'armes ne méritent pas qu'on s'y attarde. Ils montent dans un taxi et disparaissent.

De retour à mon hôtel, bien plus que la fatigue ou la douleur de mes muscles atrophiés, c'est la solitude que je sens m'envahir de toute part. Clémentine n'est pas là. Elle a pris une chambre chez l'habitant pour la semaine, me laissant libre de vivre mes aventures à loisir sans interférer dans mes envies. Douché, réchauffé, séché, allongé dans mon lit, je lui téléphone et lui raconte ma journée sans trop entrer dans les détails pour ne pas l'inquiéter ni étaler ma honte. J'avais besoin de l'entendre. Sa voix douce me réconforte. Dans son école de langue, ce matin, elle a appris la différence entre *ser* et *estar*. Quant à moi, seul dans mon dortoir, incapable de trouver le sommeil, fixant les lattes du lit superposé comme on fixe les étoiles, je me demande « à quoi bon ? » Elle me manque. J'ai eu peur.

Vendredi 30 juin – 19h30

Posé sur le col dont il a pris le nom, l'hôtel du Pourtalet a récemment été refait à neuf avec une certaine idée du goût propre aux gens qui n'en ont pas. Les toilettes n'ont pas de porte, ce qui, tout frères que nous sommes, n'est pas sans poser quelques désagréments. Le niveau d'intimité des couples qui logent ici en vacances nous laisse perplexes. Mais les chambres sont spacieuses, le personnel charmant et l'eau de la douche brûlante, ce qui n'est pas un luxe compte tenu de l'après-midi que nous venons de passer sous une mousson venue d'Arctique. Après notre courte randonnée boueuse, le soir venu, Pierre et moi nous installons dans la salle à manger de l'hôtel, le long de l'immense baie vitrée appuyée sur la brume, qui laisse deviner au loin le buste sombre du pic du Midi d'Ossau qui continue de se soustraire à nos regards. En sirotant nos bières, je pose sur la table une pochette cartonnée que nous connaissons bien. Hier, je suis passé chercher chez ma mère le dossier dont nous aurions besoin. Il était à sa place depuis quinze ans, à attendre ce jour où je viendrais m'en saisir. À l'époque, maman avait tout consigné avec la minutie d'une archiviste de RDA, se disant à raison que cela nous servirait peut-être un jour.

— J'ai relu le rapport de gendarmerie et j'ai regardé la carte hier soir, dis-je à Pierre. C'est quand même fou, cette histoire.

— C'est-à-dire ?

— En fait, les gars n'ont pas compris par où il est passé.

— Oui, je sais. Je me souviens qu'une femme l'avait vu le matin sur le col. Fais voir la carte ?

Tandis que nous parlons, j'ouvre la pochette et sors la carte IGN annotée et gribouillée de flèches tracées au crayon à papier. Les gendarmes nous l'avaient remise à l'époque, le jour où nous étions venus. Ils avaient tenté de nous expliquer leurs recherches. Des post-its remplis de questions et d'hypothèses y sont restés collés tout ce temps.

— Exactement. Le col Suzon, dis-je. On va y passer. Sauf qu'on a retrouvé le corps de papa sur l'autre versant et le rapport spécifie que c'est presque impossible qu'il ait parcouru toute la distance à pied en une journée.

— Sauf s'il est tombé de tout en haut, reprend Pierre.

— Oui, mais même comme ça, je ne vois pas comment c'est possible. J'ai passé toute la nuit à regarder la carte sans comprendre.

— Ça fait juste une sacrée chute. Il y a eu du brouillard, si je me souviens bien.

Je sors un tas de coupures de presse d'une pochette en plastique.

— Écoute ça, dis-je, c'est dans *Sud-Ouest,* daté du 3 novembre 2001. « Le randonneur parisien reste introuvable », c'est le titre de l'article. Je te le lis : « *Les recherches du PGHM demeurent infructueuses. On est toujours sans nouvelles de Xavier Gauthey, un Parisien de cinquante-quatre ans parti randonner seul lundi matin dans la vallée d'Ossau. L'alerte avait été donnée mardi 31 octobre lorsque son fils, inquiet de ne pas le voir rentrer, a décidé d'alerter les secours. Les recherches reprendront demain.* »

— Les mecs précisent quand même qu'il est parisien, réagit Pierre d'un sourire moqueur tout en levant sa bière. Comme si ça pouvait faire avancer les recherches.

— Le Parisien, c'est juste un concept anthropologique. Une façon acceptable de dire que ce sont des gros cons irresponsables, inconscients et prétentieux, et que ce genre d'histoire n'arrive qu'à eux.

La dépêche montre une photo de papa que Pierre avait dû transmettre à la presse en toute hâte lorsque le PGHM avait soulevé la nécessité de lancer un avis de recherche, espérant ainsi faire remonter une piste. C'était l'époque des appareils photo jetables et des photos de vacances qu'on faisait développer en septembre. Nous n'avions presque aucune photo de notre père, vu qu'il n'avait personne pour le photographier à part nous et qu'à notre âge, nous n'avions pas conscience que certains moments méritent d'être scellés dans des images car les papas ne sont pas éternels. Maman en avait finalement découpé une trouvée dans un vieil album. Elle n'était pas très récente, mais cela faisait l'affaire. Sur la photo, Papa sourit, il a vraiment l'air heureux. En dehors du champ, nous sommes tous les quatre assis autour de la table dans la cuisine de l'appartement de la route de la Reine à Boulogne. Un gros gâteau me fait face, je dois avoir cinq ou six ans. Ce soir-là, maman l'avait invité à fêter nos anniversaires à la maison pour nous faire plaisir. Nos parents en profitèrent aussi pour enterrer la hache de guerre et ranger regrets et rancunes au fond d'un sac à souvenirs. Aussi loin que je me souvienne, c'est la seule fois où nous avons été ainsi réunis, comme une famille, et si heureux de l'être.

— J'ai appelé le refuge de Pombie, dis-je. Il y a bien de la place demain soir. On va dormir là-bas et dimanche matin, on verra bien si le temps s'améliore. Ça te va ?

—Tu as demandé au type ce qu'il en pensait ?

— Oui. Il m'a répondu qu'il tient un refuge, pas une station météo.

— Bon esprit !

— Bienvenue à la montagne !

Et nous nous mettons à rire. La salle à manger se remplit peu à peu. Nous parlons plus doucement pour ne pas attirer l'attention, comme si notre présence était liée à quelque superstition populaire à laquelle nous ne voudrions pas être mêlés. Je me demande si les gens de la vallée se souviennent de la disparition d'un randonneur en 2001. Ou s'ils l'ont oubliée. Mais je n'ose pas poser la question, ça pourrait réveiller des fantômes.

Pierre est hanté par l'idée que papa a pu souffrir avant de mourir. Pourtant, vu la chute, il ne fait aucun doute qu'il est mort sur le coup. Ou plutôt les coups. Car il a dû rebondir contre la paroi, peut-être même plusieurs fois. Moi, je me suis toujours demandé à quoi il a bien pu penser en dernier. On dit qu'on voit sa vie défiler avant de mourir. En a-t-on vraiment le temps lorsque tout va si vite ? J'imagine parfois cette chute au ralenti. Silence. Stupeur. Sa main qui décroche, son pied qui glisse et son corps qui bascule en arrière. Un petit caillou roule et le précède. La terre résonne. Papa dit « Merde ! » Puis il tombe dans le vide.

À quoi pense-t-on en comprenant qu'on va mourir et qu'il n'y a plus rien à faire pour y échapper ? A-t-on le temps d'avoir des regrets avant que le corps ne se contracte ? La conscience s'éteint-elle quelques centièmes de seconde avant l'impact ? Je crois qu'il a pensé à nous en dernier. Il nous a demandé pardon. Cette idée me réconforte. Ensuite, tout est devenu noir. Le choc fut sourd. Plus rien ne résonna et la montagne se tut.

Samedi 1ᵉʳ juillet – 8h15

La nuit à l'hôtel n'a pas été mauvaise. Au réveil, je jette un coup d'œil par la fenêtre pour constater que le temps est sensiblement le même qu'hier. Crachin alpin tendance pluie diluvienne, agrémenté d'un froid d'intersaison. Quand je descends prendre le petit déjeuner dans la salle à manger de l'hôtel, le soleil se plante dans un nuage. Entre l'annonce du concours de boules de l'amicale de Laruns et les résultats du bac du canton d'Oloron-Sainte-Marie, la météo du journal m'informe d'une possible amélioration du ciel pour demain après-midi. L'espoir se nourrit avec un peu de grain et beaucoup de volonté. Maintenant que nous sommes là, à quoi bon renoncer ? Allons tenter notre chance. On verra bien demain ce que le ciel en dit.

Pierre me retrouve dans la salle à manger et nous décidons d'aller faire un tour en

Espagne ce matin. Inutile de partir trop tôt pour le refuge. Il n'est qu'à une grosse heure de marche du parking d'Anéou, à peine plus avec la pluie. J'ai trouvé quelques photos sur internet. Le confort y est spartiate, rien ne sert de se presser. Nous voilà donc partis à la découverte des Pyrénées espagnoles.

Cinq cents mètres après la frontière apparaît la station de ski de Formigal, dont je ne soupçonnais pas l'existence. Elle a l'air d'une ville fantôme en attendant le retour des skieurs. Le tourisme estival n'a pas sa place par ici. Nous sommes le premier week-end de juillet, mais tous les commerces sont fermés. Seule l'épicerie est ouverte. Nous y achetons de l'eau et des barres de céréales en prévision de l'ascension. Plus bas dans la vallée se trouve le marais de Lanuza, modeste lac d'altitude tout en banane sur la rive duquel est installé le village aragonais de Sallén de Galligo. Ma fausse veste North Face n'a pas aimé la pluie d'hier. Elle est trempée comme un chiffon sale. C'est trop pour elle. Le temps est venu de nous dire adieu, mais je n'arrive pas à me résoudre à la quitter. En buvant mon café, je l'entends me dire «Après tout ce qu'on a vécu ensemble, c'est donc ici que tu vas m'abandonner ? Je savais que ce jour viendrait, mais tu sais, je pourrais peut-être t'être encore utile un jour. Réfléchis bien. En plus, toutes les autres vestes sont moches. » Je sais bien qu'elle a raison, mais la rupture est inévitable. Pour me donner bonne conscience, dans la boutique, je la remplace par ce qui se fait de plus technique à notre époque. Une vraie veste North Face, vert fluo, zip latéraux, balise ARVA intégrée, imperméabilité optimale, respirabilité extrême, testée dans un sauna. Ça me gratte l'œil tellement c'est moche, mais ma vieille veste est obligée de capituler devant l'évidence : c'est terriblement efficace.

Pour grimper au refuge Ruales Oleas Berge à partir duquel on peut espérer rejoindre le sommet du Cayambe, nous roulons sur une piste qui sollicite à peu près toutes les qualités de notre 4x4 tout neuf. Paul est passé me chercher vers trois heures ce matin dans ma *pensión* du centre-ville de Quito. Il y a deux jours, nous sommes allés grimper ensemble au sommet du Sincholagua. Il a insisté pour y aller car ses pentes sont moins courues que celles d'autres montagnes souvent plus faciles d'accès pour les touristes pressés. Quant à moi, j'ai tout mon temps et surtout, j'aime l'idée de gravir des sentiers peu fréquentés. De ce côté-là, je ne pouvais pas rêver mieux. Nous sommes seuls. Comme si la montagne nous avait été réservée. Magie du spectacle, un condor nous fait l'honneur de déployer ses ailes infinies au-dessus de nos têtes au moment d'arriver au refuge.

À vingt-six ans, Paul est un guide passionné, c'est écrit dans ses yeux. Depuis l'éruption du Cotopaxi et la fermeture du sommet aux alpinistes, il part de moins en moins souvent en course. Le tourisme alpin s'est tassé malgré tous les efforts du gouvernement pour le relancer à grands coups de campagnes de communication. La demande n'est pas assez importante. Des « experts scientifiques » ont annoncé que le sommet du Chimborazo est bien le point terrestre le plus proche du soleil, devant l'Everest, grâce à la forme en ellipse de la Terre, toute la presse mondiale s'est engouffrée dans la brèche, mais malgré cela, les touristes ne reviennent pas en courant comme on avait pu l'espérer. Avant, ils voulaient faire d'une pierre deux coups : s'essayer à un six mille accessible avec le Chimborazo, et poser le pied sur le cône spectaculaire de son voisin en activité, le Cotopaxi. Faire l'un sans l'autre n'est déjà pas une mince affaire, mais que veut-on ?

Bien que nous échangions en espagnol, Paul parle un français touristique presque parfait.

— J'ai appris à l'école, me dit-il, puis avec les clients que j'emmenais et qui m'ont fait progresser. Ensuite, j'ai rencontré ma copine. Elle est de Nice. Maintenant, j'accompagne surtout des groupes de retraités dans les Galapagos avec des tour-opérateurs.

— C'est pas mal aussi, non ?

— Oui. De toute façon, il faut bien bosser. Sauf que j'aurais dû apprendre une autre langue parce que vous les Français, vous êtes plus sympas que les Américains, mais vous ne laissez jamais de pourboire, donc personne ne veut travailler avec vous.

J'acquiesce en baissant les yeux.

— Dans mon dernier groupe, ils étaient cinquante. On a passé deux semaines ensemble. Je les ai emmenés partout, ils ont dû me laisser trente dollars de pourboire au total. Ce n'est pas ça qui va rembourser l'emprunt pour ma Range Rover !

Paul voulait tester mon niveau et ma résistance à l'altitude avant d'attaquer le gros morceau. Afin d'être parfaitement transparent avec lui sur mon état de forme, j'en ai profité pour lui raconter mes mésaventures deux jours plus tôt sur les pentes du Pichincha.

— Je vois très bien par où vous êtes passés. C'est complètement inconscient, ce que vous avez fait.

— Je sais bien. C'est pour ça que je t'en parle.

Il est briefé. Je veux progresser pour pouvoir partir en montagne sans plus jamais être un danger pour moi. Je n'ai pas pu m'empêcher de lui parler de papa.

Avec nous dans la voiture, deux Argentins au physique d'esthètes vont tenter le sommet du Cayambé accompagnés d'un autre guide. Manifestement, le mal des montagnes ne leur fait pas peur. Ils sont arrivés la veille de Buenos Aires et espèrent monter à presque six mille mètres dans la foulée sans entraînement ni acclimatation. Au fond de moi, je me dis que c'est impossible car j'ai encore quelques migraines alors que je suis en altitude depuis bientôt un mois. Mais le corps a ses secrets, et il paraît qu'il existe des pilules pour se prémunir contre le mal aigu des montagnes. Peut-être se sont-ils fait des transfusions sanguines? L'un d'eux est médecin, chirurgien esthétique. Pour moi, ils risquent surtout l'œdème pulmonaire et le caisson de décompression le plus proche doit être dans un club de plongée au Mexique. Eux y croient. Plutôt sûrs de leurs forces, ce ne sont pas des débutants. Ils ont déjà gravi l'Elbrouz en Russie et l'Aconcagua en Argentine l'année précédente.

— On s'est quand même fait une sacrée peur, dit le chirurgien. On a été pris dans un jour blanc à la descente. On ne voyait plus à un mètre. Le guide a complètement paniqué. Heureusement qu'on a réussi à prendre les choses en main et à rentrer parce qu'on aurait pu y rester.

Nous arrivons en milieu d'après-midi. Le refuge a l'air de se gratter les pieds sur le sérac qui lui fait face. Le glacier ressemble à une avalanche immobile. Un mouvement qui se serait arrêté soudainement, figé par un souffle, transpercé par des bleus dont la pureté cristalline ne semble pas tout à fait terrienne. Le sommet nous attend, un peu plus de mille mètres au-dessus de nos têtes. Le temps est dégagé, la nuit sera claire. Le froid s'abat sur nous, il ne nous reste plus qu'à grimper. Cette nuit, nous partirons.

Chacun se repose sans mot dire dans le silence et le froid, et déballe son matériel en attendant que le dîner soit servi. Dans le réfectoire, la vitre qui donne sur le glacier permet d'admirer le sommet depuis sa chaise et de promener son regard entre les pentes et les replats à la recherche de l'itinéraire que nous emprunterons. Face à moi se dresse une muraille de pierres et de glace qui culmine plus haut que je ne suis jamais monté. La voir ainsi devant moi me renvoie à ma finitude. C'est dans ces instants qu'il nous est permis de penser à ce que l'on est en train d'accomplir. Au retour, il sera trop tard.

Je tombe peu à peu amoureux des montagnes. Grandeur et majesté. Le calme, la peur ou la sérénité qu'elles m'inspirent. Je pense à Ulysse attaché à son mât. Le détroit de Sicile. Le chant des sirènes, leur beauté pernicieuse. Mon père s'est fait prendre au piège. Je sens venir l'insignifiance des traces que nous aimerions laisser derrière nous. Demain, tout aura été soufflé. Passer sans laisser sa marque, sinon quelques souvenirs qui s'estompent au fil des ans. Je tente d'imprimer ces instants dans ma mémoire. On boit du thé chaud qui sent bon la coca. Un moment litanique passé hors du monde. L'Eden, Asgard ne doivent pas être bien différents de l'image que j'ai devant les yeux.

Le réveil sonne, il est vingt-trois heures. À peine ai-je somnolé quelques minutes. Le temps de nous préparer et nous voilà dehors, grimpant au milieu des rochers à la lumière de nos lampes frontales, assaillis par un souffle venu d'extrême amont pour nous arracher la peau et nous faire implorer son nom. Marcher dans l'obscurité permet de découvrir ses sens. Être en éveil, sentir le froid se glisser dans le moindre petit espace laissé à sa disposition. Derrière nos cache-cols, nos cinq souffles percent la nuit. Nous sommes des félins aux pattes de caoutchouc. Seuls les frottements moelleux de nos gants sur les parois trahissent notre présence. La glace apparaît sous nos pieds au bout d'une heure. Nous allons devoir nous encorder et chausser les crampons. Les deux Argentins sont déjà dans le rouge.

— *¿ Cómo están ?*

— *¡ Muy bien ! Tranquilo.*

Leurs sourires ne trompent qu'eux. Il est minuit à peine, on en a encore au moins pour six ou sept heures d'ascension en gardant un bon rythme. J'ai du mal à croire qu'ils puissent le faire. Sait-on jamais. S'ils vont au bout, ce sera le piolet entre les dents.

À trois heures du matin, les autres ont abandonné. Cela faisait un moment que nous les avions laissés derrière nous, mais au loin, on voit désormais leurs lampes faire demi-tour. J'espère simplement qu'ils n'ont pas eu de problème. Nous voilà seuls avec les étoiles. Paul et moi à la conquête du troisième plus haut sommet du pays. Le pas est lent. Je décompose chaque geste sans précipitation pour m'éviter tout effort inutile. Enfoncer le piolet dans la glace. Planter les crampons. Le pied bien à plat sur la pente. Prendre appui. Pousser sur les jambes. Garder le dos droit. C'est dur ! Chaque pas est une souffrance. Mes doigts commencent à geler et mon front me fait un mal de chien. L'oxygène s'est raréfié. Je respire fort en cherchant du regard l'air qui se dérobe à mes poumons. Mes pensées sont confuses. L'effort est hypnotique. Nous sommes partis depuis six heures, mais j'ai l'impression de marcher depuis des jours ! « Quand tu crois que tu n'en peux plus, tu n'es qu'à dix pour cent de tes capacités. »

Le jour s'est levé et la montagne a éclos au milieu des plaines. La récompense à tant d'effort n'est pas le sommet, mais la magie des volcans qui nous entourent. Ils poussent comme des champignons dans des endroits où on ne les attend pas. Tout autour de nous, la vue s'étend à des centaines, peut-être des milliers de kilomètres. Les uns après les autres, on les voit tous monter vers le ciel et se moucher dans les nuages : Pasochoa, Antisana, Sincholagua, Rumiñahui, Cotopaxi, Iliniza Norte, Corazón, Guagua Pichincha, Rucu Pichincha. Leurs noms ressemblent à des prières.

Il est six heures du matin, nous sommes à cinq mille sept cent quatre-vingt-dix mètres d'altitude, et je bredouille de joie en serrant Paul dans mes bras pour le remercier de m'avoir mené jusqu'ici. Dans la plaine, l'ombre du Cayambe dessine un gigantesque triangle obscur qui rétrécit à vue d'œil à mesure que le soleil se hisse dans le ciel. Il est temps de redescendre. La température monte vite le matin. Les crevasses ont l'air de dormir, mais ces choses-là sont carnassières. Sous leur air tendre et clément, elles n'attendent qu'un faux pas pour nous croquer. Allons-y !

Samedi 1er juillet – 15h40

Pierre et moi partons pour le refuge en milieu d'après-midi. Cette fois, nous charrions tout l'équipement nécessaire pour l'ascension prévue demain. La boue s'est épaissie, rendant la pente encore plus glissante qu'hier, mais le plaisir est intact. J'espère juste que le temps se lèvera bien comme prévu. Nous passons le col de Soum dans le brouillard en suivant le sentier et redescendons dans une cuvette de granulites qui tiennent leur poste depuis le Crétacé. Sur notre gauche, le pic Peyreget me fait de l'œil. Ce n'est pas le moment de se laisser distraire. Le refuge de Pombie apparaît dans la brume. D'abord ses volets rouges, puis son toit de tôle et enfin ses murs blancs maculés de granit. De là où nous le voyons, il flotte sur le lac.

Nous devançons un groupe que nous n'avons pas senti venir dans cette grisaille d'air mouillé, prenant juste assez d'avance pour ne pas hériter des pires places dans le dortoir de douze du rez-de-chaussée. Placé en plein courant d'air entre les toilettes et la salle hors-sacs, c'est le meilleur endroit pour cultiver les glaçons au fond de son sac à viande.

L'homme qui nous accueille est un grand type blond un peu rustre au regard malin et au sourire charmant. Selon toute probabilité, un fils de la montagne. Épaules chevalines, charisme d'une boîte de clous neufs. Il est bâti comme un bûcheron, chemise de laine à carreaux nouée sur le tronc, bien plus sympathique en vrai que lors de notre bref échange téléphonique d'hier.

— Le dîner est servi à dix-neuf heures, le petit déjeuner à sept heures. Vous partez où demain matin ?

— Pic du Midi d'Ossau.

— Inutile de partir trop tôt. Ça va se lever dans la matinée.

L'homme est du genre synthétique. Le conseil est concis, donné sans attendre quelque assentiment de notre part. Je le remercie tout de même pour l'information. Au moins, nous savons à quoi nous en tenir. La bonne nouvelle, pensé-je, c'est que désormais, malgré la pluie qui n'en finit pas de nous arroser la binette, il y a peu de chance que l'ascension nous échappe.

En attendant le repas, pendant que les chaussettes fanfreluchent auprès du poêle à bois, nous buvons quelques bières devant une partie d'échecs. Des années que nous n'avons pas joué l'un contre l'autre. C'est papa qui nous a appris les règles. D'abord à Pierre, puis à moi. Mais nous avons toujours plafonné à un niveau d'écolier, incapables de voir le jeu à plus d'un coup ou deux. Quand c'est à l'un de jouer, l'autre a tout le loisir d'admirer les photos d'alpinisme accrochées au mur. Une affiche représente les voies d'escalade qui nous entourent. Le pilier de l'Embarradère, la voie Ravier, la voie Fouquier. J'imagine qui étaient ces types dont on donna les noms à ces passages en récompense de leurs exploits. Mon fou prend sa tour. Le pic du midi d'Ossau est un terrain de jeu hors norme pour les grimpeurs avertis. La roche est d'une qualité rare. En été, les parois sont pleines de monde et les touristes viennent camper à leurs pieds. Nos voisins espagnols s'intéressent à la partie. Son cavalier prend ma dame en passant par-dessus mon pion. Le coup est classique, mais je ne m'en remettrai pas. Eux aussi monteront demain, comme la plupart des gens qui nous entourent hormis peut-être un groupe de retraités. Ceux-là n'ont plus les cannes pour le sommet, mais leur équipée de gérontes vigoureux donne tout de même confiance en la vie. J'en ai perdu des goûters à jouer aux échecs avec mon frère ! Il trichait souvent par principe plus que par nécessité. Ce soir, il me met mat dans les règles, puis nous partons nous coucher.

Chaque nuit en refuge offre une nouvelle illustration de la notion de promiscuité. Malgré ces bons moments passés depuis deux jours, Pierre et moi dormons mal. L'humidité ambiante et les ronflements sismiques de nos voisins ne font qu'empirer les choses. Nos boules Quies clouées au fond du conduit auditif n'y changent rien. C'est plus fort que nous. La perspective d'une marche dans les pas qui ont conduit notre père à la mort nous tourmente les viscères et nous tient éveillés presque toute la nuit.

✻

Pas facile de devenir un homme quand le père a la querelle facile et que le fils est combatif.

« J'ai pas besoin de vous pour vivre. » La scène se passe à la lumière tamisée d'un restaurant indien à l'angle de la rue Gérando et de la rue de Dunkerque. Au pied de Montmartre, pas loin de chez Tati, entre un *dhal* de lentilles et un poulet *tandoori*. Pierre et papa n'arrêtent pas de s'étriper. Les portes claquent, les punitions se répètent avec aussi peu d'efficacité qu'une pincée de sel sur une tache de vin. Le premier est trop vindicatif, le second trop réactionnaire. L'amateur de Kurt Cobain n'a pas grand-chose à dire à celui de Mozart qui, de toute façon, n'en a rien à carrer et le gratifie d'un mépris cinglant. Quant à moi, par solidarité fraternelle j'ai tendance à prendre le parti de mon frère, mais je n'ai qu'onze ans. Alors, le plus souvent, je me tais et laisse voler les assiettes en m'enfermant dans ma bulle. Mon frère est privé de ski pour réviser son bac, une autre fois, papa le met dans un train pendant des vacances qui tournent à l'affrontement œdipien. Le ton monte pour une coupe de cheveux. Un pantalon trop large, un sweat-shirt de mauvais goût, une paire d'« écrase-merde » suscitent les mêmes bel-ligérances. « T'es coiffé comme un balai de chiottes, t'as l'air d'un zoulou, on dirait un plouc ! ». Pierre s'affirme et lève le front, arborant fièrement sa raie au milieu et ses constellations de boutons d'acné prêts à exploser, mais ça ne passe pas. Papa nous envoie un uppercut en pleine figure pendant le repas, comme s'il avait besoin de mettre les choses au clair et de nous rappeler qui paye l'addition. « J'ai pas besoin de vous pour vivre. » Ce soir-là, il a failli tout foutre en l'air.

Évidemment, il ne le pensait pas. Si j'étais parti en montagne avec lui ce matin-là, peut-être aurait-il vécu. Ça lui aurait servi de leçon. C'est bien la preuve qu'il disait des âneries. Pourtant, c'était un bon papa et je n'ai jamais douté qu'il ait été fier de nous. On nous l'a d'ailleurs bien assez répété. C'était juste sa façon de nous dire qu'il avait souffert, qu'il était seul, et qu'il était prêt à encaisser encore pas mal de coups si la vie voulait les lui envoyer dans le bas-ventre. Ma mère parle d'inaptitude au bonheur. Mais nous, on s'en fichait de tout ça. Un papa, on le prend comme il est.

✳

Amazonie. Je repense à cette époque en pleine sudation léthargique, bercé par le va-et-vient paresseux de mon hamac qui se balance au milieu de la forêt primaire. Le moteur du bateau ronfle tandis que la rivière s'endort. Depuis plusieurs semaines, nous avons laissé les volcans d'Équateur derrière nous pour nous faufiler dans la jungle amazonienne. Là-bas les taxis-brousse flottent et braillent le derrière accroché à des moteurs qui ressemblent à des débroussailleuses. Sautant de pirogue en pirogue pour descendre le Rio Napo, nous sommes arrivés au Pérou et avons séjourné un temps à Iquitos. Puis nous avons repris le cours du fleuve et nous sommes lancés dans l'Amazone.

La ville de Tabatinga s'est posée à la frontière brésilienne. Elle fait face à Leticia, sa sœur jumelle colombienne. Savoir que des gens vivent ici réconcilie avec tous les moments d'inconfort que l'on a vécus dans sa vie. Les rues sont moites et les idées boueuses. Les prostituées qui y déambulent ont l'air d'un test paludique positif ambulant, et lorsqu'elles vont s'asseoir sur les genoux de vieux gars édentés venus claquer leur dernière paye grattée dans la raffinerie du coin, elles manquent de casser leurs jambes fébriles en y posant toute la misère du monde. Les douaniers ont l'air de brigands avec leur regard louche et leur mine scélérate. Quant aux Cubains qui remontent le fleuve, ils les évitent en rêvant de Miami. Eux n'en peuvent déjà plus de ce voyage interminable. Les passeurs sont sévères en affaires. Ils quintuplent les prix en calfeutrant dans la forêt tous ceux qui aspirent à une vie meilleure. Du matin au soir, tout ce petit monde se saoule avec un tord-boyaux qu'ils appellent *cachaça,* mais on dirait plutôt de l'alcool à brûler coupé au sucre et au citron. Les distilleries clandestines ne sont pas rares. Le sol est recouvert de détritus en tous genres, bouteilles en plastiques, verre pilé, emballages divers de produits industriels que l'on a importés ici sans jamais se préoccuper de la façon dont on les évacuerait puisqu'il suffit de tout balancer dans la rivière. Un jour, on condamnera Coca-Cola et toutes les marques de chips pour crime contre l'humanité. En attendant, l'Amazonie est une décharge à ciel ouvert et un avant-goût de l'enfer pour les âmes perdues. Même les moustiques y ont l'air triste.

À Tabatinga, nous attachons notre hamac sur un gros vapeur où s'entassent les gens, les poulets et les régimes de bananes. Nous sommes au moins deux cents personnes à monter à bord pour rejoindre Manaus en descendant le fleuve à travers la jungle. Après l'avion, le bateau est le moyen de transport le plus rapide dans cette partie du continent. À vrai dire, c'est le seul, les routes sont inexistantes.

L'obscurité est comme une vieille bourgeoise que l'on dérange le temps de notre passage. Elle nous regarde avec le dédain de celle qu'on ne peut pas toucher du doigt. Le jour, les rives du fleuve sont monotones et apathiques. Mais la nuit, on dirait un mur derrière lequel le monde entier nous observe. Autour des ampoules s'agglutinent une foule de petits insectes qui viennent se carboniser les ailes tandis qu'un bébé geint pour rompre le silence des centaines de hamacs qui se balancent comme des larves prêtes à éclore au matin. L'Amazone dort, ou peut-être fait-il semblant, et nous voguons à travers le Brésil la tête dans les étoiles, l'esprit hors du temps.

La MDMA se présente sous la forme de petits cristaux jaunes comme de l'urine de chaton. On dirait du gros sel souillé sur le bord d'une route enneigée. Cela s'absorbe dissout au fond d'un verre, roulé en parachute dans du papier à cigarette, ou en se léchant le bout du doigt pour y coller quelques fragments qu'on déglutit avec de l'eau pour ne pas sentir son goût infect vous déflorer les papilles. L'effet arrive au bout d'une heure. Le piège est dans la montée. Les paupières frétillent et les pupilles se dilatent. Ça fait du chaud dans les pommettes et vous donne l'air d'un bienheureux. Débordant de tendresse pour le premier venu, vous vous transformez soudainement en distributeur de câlins. C'est fou comme c'est amusant. Mais à plus forte dose, cette merde vous envoie dans l'espace et comme toutes les drogues, elle vous rend péniblement con.

La modération ne compte pas parmi mes vertus. Arrivé à Rio de Janeiro à l'occasion d'une conférence internationale, j'ai retrouvé des collègues parisiens que je n'avais pas vus depuis des mois dans un appartement de jeunes *cariocas* branchés. Clémentine et moi sommes sous tension. Voyager nous met face à nos contradictions et s'engager plus avant nous fait autant peur à l'un qu'à l'autre. Depuis trois ans, nous nous aimons avec les deux pieds sur le frein. C'est notre façon de nous protéger du destin. Main sur la poignée, nous maintenons la porte ouverte afin de sauter du train s'il s'avérait que finalement, cette vie ne nous convenait plus tout à fait. L'itinérance a exacerbé mes doutes plutôt que conforté mon peu de certitudes. Une femme vaut-elle ma liberté ? J'ai surchargé la dose. De toute façon, la soirée ne s'y prêtait pas. Me voilà à faire des galipettes et des câlins à une assemblée restée sobre comme un nourrisson. C'est triste à voir, mais je ne vois rien, en perdition au centre de ce spectacle affligeant. La scène dont je n'ai plus aucun souvenir m'est contée le surlendemain.

— T'étais lourd.

— J'ai honte.

Le spectacle n'a pas plu à grand monde. Clémentine a pris ses affaires dans la foulée. Elle est partie faire un stage de yoga loin des vices que nous pensions avoir laissés à Paris et qui nous explosent en pleine figure sitôt que le premier serpent venu me tend un fruit défendu. Pas un instant je n'ai hésité à croquer. De retour dans mon appartement de Copacabana prêté pour quelques jours, je réfléchis à la situation en noircissant des cahiers dans le vrombissement d'une climatisation qui tourne à plein régime. J'écris en inventant des mondes, cela me permet de vivre un peu selon mes propres règles. Mon cœur bat plus fort qu'à l'habitude. Un seul être vous manque…

Recouvertes de magnésie, j'ai les mains blanches et farineuses. Yann, qui a vécu au Brésil, m'a donné le tuyau. Ces quelques jours sont l'occasion d'escalader le Pain de Sucre qui, en plus d'être l'un des principaux sites touristiques de la ville, est l'un des meilleurs spots d'escalade du pays, et sans aucun doute celui d'où la vue est la plus exceptionnelle. La baie de Rio de Janeiro dévoilant sa beauté comme une canéphore aux grandes panathénées. Progresser encore, grimper plus, je n'ai que ça en tête. La journée est splendide. Le soleil nous frotte les épaules, vachés à quarante mètres au-dessus de la mer, sous les yeux du Corcovado qui nous surveille en dominant les toits de Batofogo. Détresse dans les biceps. Le pan se corse, les tendons cuisent et les orteils subissent en se tassant dans les pointes. La paroi est plus ardue que je ne pensais. Ou suis-je moins aiguisé que je ne l'avais cru ? Qu'importe ! Tant qu'on grimpe, on s'approche des étoiles.

Le soir, au bar d'une soirée de gala, l'alcool ruisselle dans un lit de musique profane et je me prends au jeu des regards tendus par une créature à la beauté flatteuse. La jeune femme arbore les traits des cinq continents, exploit magnétique dont le Brésil seul peut se targuer de connaître le secret. À minuit, la pomme est mûre, il n'y a plus qu'à croquer. L'air moite sent le fumet libidineux. Dubitatif, j'hésite un instant à voir un chemin de traverse et à ruiner mon éden. La caipirinha aide à la réflexion. Une, puis deux, puis trois. La paille entre les dents, je pense à Blanche-Neige. Quelle conne ! Lorsque vient l'heure de signer, je me lève et m'en vais. Le sort n'agit plus. J'ai bu plus que de raison pour éviter son piège. Le serpent tire la langue, et je me traîne chez moi le regard vide mais l'esprit sain.

Il y a se dire je t'aime et s'aimer vraiment. Assez pour éteindre les doutes et embraser le reste. C'est une expérience épidermique qui vous fait prendre conscience que votre cœur est encore vierge. Clémentine m'a écrit une lettre, puis elle est revenue, portée par les voiles de tendresse que nous inspirent les êtres que l'on chérit et la volonté inébranlable de sauver son tandem. Nous nous étions quittés bons amis et nous nous retrouvons plus amants que jamais. L'évidence nous saute aux yeux, l'avenir est une certitude et le reste, un détail.

Nous sommes sur une plage d'Ilha Grande lorsque je reçois la photo de Paula à califourchon sur un rocher au sommet du pic du Midi d'Ossau arborant un sourire fabuleux. Radieuse au milieu des nuages, son casque fait de l'ombre aux taches de rousseur qui donnent à son visage l'air d'un étal à épices. Elle est fière et heureuse. Sur son dos, elle porte tout l'attirail d'une grimpeuse avertie. La photo est légendée par Yann : « Montée au pic du Midi d'Ossau ce week-end avec Paula. Bonnes sensations ! C'était quand même bien aérien. » Yann est mon ami, il connaît mon histoire, mais je ne crois pas qu'il sache que mon père s'est tué sur cette montagne. S'il l'a su, peut-être l'a-t-il oublié. Ou peut-être était-ce juste sa façon de me dire qu'il pensait à moi. Je ne sais pas. Nous n'en avons pas reparlé depuis. Personne n'a jamais osé s'aventurer à me poser des questions et je ne me suis jamais étalé sur le sujet non plus. Un mélange de gêne et de pudeur. Les personnes plus âgées ont parfois les mots pour briser le tabou. Une belle-mère, des parents d'amis, ces gens qui ont l'expérience des chagrins glissants et qui savent que ce n'est pas le fait d'en parler qui fait mal. Le gros de la douleur est derrière, le reste ne vous quitte pas, fidèle comme un acouphène. Lorsqu'on me demande ou que la situation impose d'en dire un mot, je réponds que « mon père est mort d'une chute en montagne lorsque j'avais quinze ans ». La plupart du temps, cela clôt le sujet à la vitesse du son. L'interlocuteur scrute le mur. Tout est là, je n'ai rien à cacher, ça ne me fait même pas mal d'en parler en détail, simplement, la plupart des gens ont le réflexe un peu confus de ne pas chercher à s'enfoncer sur ce terrain. À quoi bon leur faire l'affront des détails quand ils ne peuvent pas soutenir un regard ? Pourtant, j'aime parler de mon père. Raconter qui il était me permet de montrer d'autres facettes de celui que je suis devenu. Mais parler de la mort fait peur à ceux qui ne l'ont pas encore vue d'assez près. Inutile de leur en vouloir, ils ont toute la vie pour ça.

Yann et Paula étaient montés au sommet du pic du Midi d'Ossau le week-end précédent. Dix jours à peine après la date d'anniversaire de la mort de papa. De La Rochelle où ils habitent, les Pyrénées sont leur jardin. Ils vont s'y balader dès qu'ils ont un peu de temps. La météo s'y prêtait, ils ont sauté dans la voiture. Cette photo fut un détonateur. Le feu brûlant d'une ambition éteinte qui s'embrasa tout à coup. Mon cerveau vrilla. J'entendis l'appel d'une voix à laquelle il m'était impossible de ne pas répondre. Cette montagne enfermée dans le coffre-fort de ma mémoire au milieu de mes craintes inavouables était donc toujours là. Yann et Paula me prenaient de court. Ils venaient de me prouver qu'il était bien possible d'en redescendre sans se prendre les pieds dans ses falaises ni s'y briser les os. À compter de ce jour, le pic du Midi d'Ossau devint une obsession.

Dimanche 2 juillet – 7h15

Le matin au réveil, le temps est toujours incertain en dépit de ce que nous a affirmé le patron du refuge hier. Le ciel est bouché. La brume demeure épaisse comme la nuit, et le crachin ne veut pas cesser. « Ça va passer », nous dit-il. Le type a l'air sûr de lui. Le ventre plein d'un petit déjeuner de pain dur et de confiture sans beurre, mon frère et moi appareillons de bonne heure pour le sommet. Nous partons parmi les premiers, tâchant de trouver notre chemin dans le voile épais du brouillard. Sac sur les épaules, nous sautons d'un cairn à l'autre pour nous faufiler dans le pierrier humide en essayant de ne pas glisser. Les cairns sont des petites pyramides de pierres posées là par les randonneurs au fil des saisons pour indiquer le chemin lorsque la visibilité est mauvaise et que le sentier disparaît. Emmitouflé dans mon manteau neuf, quoique n'ayant pas franchement bien dormi, j'ai l'énergie des grands jours, prêt à en découdre avec le destin. Nous allons vite, la marche est bonne, seul un binôme nous devance. De toute façon, nous ne devons pas traîner, il faut être au sommet vers midi au plus tard pour revenir à l'aéroport dans les temps, rendre la voiture et monter dans notre avion.

La brume se lève en milieu de matinée tandis que nous arrivons au col de Suzon. Cette mer de coton laisse enfin jaillir du ciel un sommet dont nous attendons de croiser le regard inquisiteur depuis deux jours, et des années. Le pic du Midi d'Ossau se tient face à nous. Magnétique. Droit comme Hadès et géant comme Athos, ni bon ni mauvais. Imperturbablement immobile. Ses falaises se dressent tels des remparts, lui donnant l'air d'une forteresse imprenable. Par où allons-nous donc passer ? Nous sommes soudain si petits face à lui, si raide ! Un instant, nous l'admirons, le temps de prendre quelques photos et de le flatter de nos regards révérencieux, ébahis et intimidés par cette masse époustouflante à laquelle je demande en silence de bien vouloir nous laisser passer sans encombre.

Le soleil exile les nuages et le mercure remonte tout à coup. Cela fait deux heures que nous marchons. Alors que nous sommes partis dans une éclaboussure brumeuse, le soleil nous écrase maintenant dans les rochers. Mon front perle de sueur. Pierre et moi progressons en silence. En montagne, quel que soit le nombre de compagnons avec lesquels on partage la pente, lorsque l'effort s'accentue, on est seul avec ses pensées au milieu du néant. Les sens sont en éveil, mais les doutes subsistent. Avoir confiance en soi, c'est écouter ses peurs, car le danger est fourbe et espiègle comme une pierre qui décroche. C'est dans sa nature. Au bout de la crête, vient le moment de mettre les casques, enfiler les baudriers et sortir la corde. Une autre histoire commence. Nous sommes arrivés au pied de la première cheminée. Ces parois ont laissé passer des milliers de grimpeurs avant nous, pourtant je sais que Pierre partage mes pensées en arrivant à cet endroit. Nous nous demandons à quel moment la mort frappe lorsqu'elle ne prévient pas.

La corde autour du cou, je passe le premier. Dès que je pose ma main sur la roche, mon appréhension disparaît. Malgré la pluie incessante des derniers jours, la paroi est sèche. Nous sommes pile à l'heure. Je m'engage en tête, me hissant sans mal jusqu'à une dalle située quatre ou cinq mètres plus haut, assez large pour tenir à deux ou trois personnes. C'est une pierre plate au-dessus de laquelle des guides ont planté un pieu d'acier pour faciliter la sortie en accompagnant le dernier mouvement. Pour quelqu'un qui a un peu l'habitude, les prises sont énormes. Je ne me fais pas l'once d'un souci pour mon frère lorsqu'il m'emboîte le pas. Nous sommes sur ce fameux passage dont nous avons déjà parlé. Un peu engagé, mais pas vraiment difficile. Un enfant dégourdi passerait sans souci. Pourtant, mon frère hésite. Que se passe-t-il ? J'ai du mal à comprendre ce qu'il traverse car je ne m'y attends pas. Son regard se vide, son corps se liquéfie. Il est maladroit sans raison.

— Ça va ? dis-je.

— Nan.

— Qu'est-ce qu'il se passe ?

— C'est pas *safe* !

— Quoi c'est pas *safe* ?

— Je te dis que c'est pas *safe* !

— Prends ton temps. Tu veux la corde ?

— Oui.

Il me répond sèchement, comme s'il devait se justifier en me reprochant de ne pas l'avoir sortie plus tôt.

— Attends deux minutes, je te la lance.

Je m'en veux. Je n'ai pas su demander à mon frère comment il se sentait avant de nous engager dans cette cheminée. Lui montrer quelques gestes élémentaires en escalade aurait été utile, mais j'ai eu peur qu'il se sente humilié ou qu'il me trouve prétentieux. Ni lui ni moi n'avons rien osé dire. Je lui aurais rappelé de faire confiance à ses mains et de grimper avec les pieds. Il m'aurait écouté, cela nous aurait donné du courage. Pierre et moi ne voyons pas le danger du même œil. Pour moi, ce mur n'est qu'un escalier un peu bancal. Pour lui, c'est un coupe-gorge briseur de familles. Le temps de me mettre en place, je lui lance la corde en la passant dans un relais posé par les guides pour pouvoir l'assurer. De là où je suis, je lui enseigne comment doubler son nœud de huit sur le pontet de son baudrier, tout en lui expliquant la façon dont on va procéder. Ce bricolage en orbite est un peu acrobatique. Pour le dire simplement, ce n'est pas du tout comme ça qu'il aurait fallu procéder. Dès le départ, nous aurions dû décrire la manœuvre en la décomposant pour la visualiser ensemble. Puis je lui aurais passé la corde, j'aurais vérifié son nœud et je serais monté en tête. Là, en plus de ne pas être académique, la méthode n'est pas loin d'être dangereuse. Dans d'autres circonstances, je serais redescendu pour tout reprendre à zéro, mais je sais que mon frère ne tombera pas. La paroi ne pose aucune difficulté. Ce dont il a besoin, c'est qu'on lui assure l'esprit, pas le corps.

Une lecture me revient. Tous les enfants de montagnard ont lu *Premier de cordée*. Ce jour-là, la ressemblance avec mon frère est troublante, presque prophétique. Dans le roman de Frison-Roche, le héros aussi s'appelle Pierre. Un enfant de Chamonix, fils de guide orgueilleux, montagnard chevronné, pris de vertiges inavouables après une terrible chute. Traumatisme crânien ou quelque chose du genre. Il partait récupérer le corps sans vie de son père, foudroyé sur les Drus, juste avant que l'hiver ne l'engloutisse. De notre histoire aussi nous pourrions faire un livre. Lorsque nous arrivons en haut de cette première cheminée, une petite foule de grimpeurs commence à s'agglutiner derrière nous et dans les voies annexes, qui sont parfois un peu plus engagées. La crête fourmille. On y voit des hommes, des femmes, des enfants qui semblent marcher sur un fil. Nous serons peut-être une centaine à monter au sommet aujourd'hui, mais seulement deux à emporter l'enclume du passé sur notre dos.

Ma première navigation de nuit est archivée en bonne place au rayon des mauvais souvenirs des marins amateurs. Lorsque nous hissons les voiles pour quitter la République dominicaine et faire cap à l'est, nous venons de laisser passer une fenêtre météo idéale à cause d'un petit général de brousse qui n'a pas été fichu de remettre le bateau à l'eau dans les temps. Dix jours à regarder passer les heures et les moustiques en dévorant les bouquins du bord. Tesson, Moitessier, Slocum, Kersauson. À Paris, les fesses au sec au fond d'un canapé moelleux, on associe volontiers ces noms à un ésotérisme quasi mystique qui vous rappelle à votre doux confort. Mais ici, j'ai l'impression de venir tutoyer les maîtres et d'entrer dans le cercle. À Luperon, je suis arrivé la tête pleine de rêves, le sourire gonflé par le soleil qui me fait briller les yeux et plisser les paupières. Ce petit bourg dominicain construit à la va-vite avec des parpaings bon marché vit la musique à fond, abruti par la chaleur, la drogue, et les caissons de basses en ébullition tanqués dans le coffre de grosses bagnoles américaines. Je viens de quitter Clémentine, partie en mission en Haïti. Une étrange déchirure me flétrit l'esprit. Bizarre. Un sentiment de plénitude me parcourt pourtant tout entier. Pour la première fois depuis des mois, je suis seul, avec un pressentiment louche. Les étals regorgent de papaye, de melons et de bananes naines. Chevauchant ma moto-taxi, je pars retrouver Pascal pour l'aider à convoyer son bateau en Martinique. Six ou sept cents milles à tracer en remontant au vent. Une belle navigation en perspective.

— Je te présente *Zam Zam*.

— *Zam Zam* ?

— C'est le nom du bateau. Ça veut dire *en avant* en népalais.

J'ai appris plus tard que c'est aussi une source miraculeuse chez les musulmans. L'eau, le mouvement, l'éternité. Je ne sais de quel ciment sont faits les mythes, mais gageons que la polysémie est un ingrédient précieux pour exciter le zèle des artisans du rêve. Je découvre donc ce gros morceau d'aluminium long d'une quinzaine de mètres posé entre cinq ou six épaves. On le repère de loin grâce à sa longue coque jaune frottée par le soleil et à de larges bandes bleu nuit peintes sur ses flancs. Et puis il y a ce mât qui pointe vers le ciel et dont on mesure d'un coup d'œil à ses deux barres de flèche qu'il est bien plus grand que de coutume pour un navire de cette taille.

Dans la moiteur de cette marina vaseuse creusée dans la mangrove, *Zam Zam* se tient au sec, debout sur le gravier. Vaillant, posé sur des tampons de bois, il attend depuis des mois le retour de son maître pour qu'on daigne le renvoyer dans l'eau et reprendre la mer. Pascal n'est pas un marrant. Il revendique son style d'Alsacien. Un demi-siècle au compteur, franc du front, sourire rusé, physionomie de tournevis, muscles saillants, poils de torse grisonnants, on n'est pas là pour enfiler des perles mais pour remettre *Zam Zam* à flot. Alors on s'y attelle. On ponce, on visse, on avitaille. On vérifie les voiles, les coulisseaux, les nœuds, le gaz, le gréement, les safrans. On démonte l'anode à coups de burin, on fait et on défait l'hélice du moteur pour s'assurer que tout est en ordre, que la barre va droit, que le pilote automatique est bien étalonné. On grimpe en tête de mât pour réparer l'anémomètre. Ça ne marche pas. On redescend, on winche. On recommence. Le vent souffle fort, la tempête se lève, la drisse tape sur le mât, ça fait du vacarme, il pleut, puis tout s'arrête, ou tout recommence. Le ciel n'en fait qu'à sa tête, le vent l'imite. Alors on s'agace, on s'impatiente. Un bateau à sec, c'est triste comme un orphelinat le soir de Noël. On a beau vivre pieds nus, ça nous envoie le moral dans les chaussettes.

En sortant de la baie, le temps est plutôt bon et le vent de nord-est aussi favorable que possible. De quoi tenir un cap plein est, laisser la baie de Samaná à tribord, et filer par le sud vers Porto Rico, où nous serons bientôt abrités des houles pétulantes venues de l'océan. Deux à trois jours de navigation peut-être, un moment pour mettre ses rêves à l'épreuve de l'audace que l'on sent palpiter au fond de soi et se sortir de cette zone peu confortable à grands coups de prises de riz, de tours de manivelle, et de manœuvres épiques cramponnés à la barre. Mais rien ne se passe comme prévu. La mer est formée. Le vent qui nous fait face a décidé d'aboyer plus fort que de coutume, le bateau tape dans les creux comme un vieux tapis qu'on dépoussière à coups de pelle de chantier. Il est encore tôt. Nous devons nous amariner, mais le corps a ses secrets que le matelot ne connaît pas. Des jets immenses passent par-dessus le pont tandis que l'étrave se plante dans les vagues. L'eau frappe sur la coque comme du gravier. Mon ventre fait des tours. Je respire fort, m'efforçant de regarder l'horizon et d'anticiper les mouvements du bateau secoué comme un bouchon. Impossible de rentrer, de manger, d'aller me reposer en cabine. Il n'y a qu'à attendre que cela passe.

Lorsque la nuit tombe, le vent a déjà forci. Ce matin, nous avons hissé dans quinze nœuds de vent, et des rafales à vingt. C'était déjà homérique dans ces bosses. L'anémomètre en indique désormais vingt-cinq, avec des rafales à trente-deux. Soixante kilomètres-heure de vent dans le nez à se faire tabasser par beaucoup plus fort que soi tout en continuant d'avancer. Qu'est-ce qu'on fout là ? Ma cuirasse ne pèse pas lourd par ici. Les hommes de bord sont-ils vraiment des masochistes qui s'ignorent, ou me suis-je donc tant trompé sur moi-même ?

Ça dure comme ça toute la journée. Puis le calme. La mer s'aplatit. Quelques minutes. Une heure peut-être. Juste assez pour se dire que la nuit sera douce et croire en notre bonne étoile après douze heures de trot au près serré à se faire remuer les vertèbres et pétrir l'estomac. Mais c'est mal connaître le large que de croire à son indulgence. Au loin, dans l'obscurité veloutheuse, on entend le vent qui revient en sifflant comme un vieux train de mine. Il s'approche, d'abord plutôt affable puis de plus en plus colérique. À ses côtés, les creux qui l'accompagnent sortent de leurs gonds. Ils ont l'air d'une vieille bande de potes complètement saouls qui viennent de se faire jeter de boîte, prêts à casser la gueule du premier venu pour se vidanger les poings.

Le premier venu, c'est moi. Allongé sur le pont, recroquevillé sous la capote, trempé dans ma veste de quart, je prends mon mal en patience en priant pour que tout s'arrête. Les alizés n'ont pas la douceur érotique et sucrée d'une petite chanteuse brune. Lorsqu'on leur fait face, ce sont de vilains fauves qui sortent les griffes, prêts à rugir un peu plus chaque fois que vous croyez vous être habitué à leurs grondements dans les voiles. Le corps ne répond plus et les incantations sont vaines. L'esprit se laisse submerger par les idées noires. Les ténèbres stimulent le bourdon. Certaines nuits, lorsque chaque minute semble une heure et chaque heure une journée, même les plus impies se font surprendre à prier Dieu pour revoir l'aube se lever.

À quoi bon endurer la tourmente ? Dans quel port cette souffrance te mène-t-elle ? Au milieu du néant, qui crois-tu impressionner ? Même pas mon capitaine, parti piquer un somme tandis que je tiens mon quart. Clémentine me manque. Amorphe, je souffre comme un junkie en manque, trop faible pour pleurer, trop mou pour crier. Mes dents font des claquettes. J'ai besoin d'elle, je l'aime, je veux la serrer dans mes bras. Je veux son réconfort, avoir des enfants avec elle et vivre comme tout le monde, calmement, simplement, dans un trois-pièces de la banlieue ouest. Les gens normaux ont le bonheur entre les mains. Un CDI, un écran plat et des congés payés. Que suis-je venu chercher ici que je ne trouvais pas chez moi ? Ces pensées tournent dans ma tête et me molestent l'esprit pour me renvoyer ma tourmente en pleine figure. Le bateau ne cesse de se fracasser dans les vagues. Le froid s'agrippe à ma chair, je grelotte dans les mers chaudes comme un naufragé en pleine Baltique. Coincé dans l'obscurité vide et salée, j'ai honte de moi. Imprudent que je suis d'être venu défier les éléments chez eux en croyant qu'ils me tendraient les bras ! Dans cet enfer où j'ai sauté de bon cœur, je souffre comme un damné.

— Putain, on a de l'eau dans les fonds ! hurle Pascal.

Comme si la nuit apocalyptique que nous passons ne suffisait pas.

Il doit être cinq heures du matin. Depuis le soir, pas un instant *Zam Zam* n'a cessé de taper d'avant en arrière ni de nous secouer de haut en bas. L'eau est salée, les vannes et les hublots fermés, c'est très mauvais signe. L'eau de mer s'infiltre par un endroit inconnu. Il n'en faut pas beaucoup plus pour envisager le pire et faire un à-pic vers le fond.

— Tu crois qu'on a une voie d'eau ?

— Je n'en sais rien, mais la seule façon d'en être sûr, c'est de pomper et de trouver d'où ça vient.

La pompe manuelle ne marche pas. La faute à un joint moisi qui la rend inopérante. Dix jours à ronger notre frein à terre, et nous n'avons pas pensé à vérifier l'état de la pompe !

— Il faut écoper manuellement, sinon l'eau va déborder et on va flinguer les batteries.

Pas le choix. On ne sait pas d'où vient toute cette flotte, mais on doit l'évacuer au plus vite. Pascal a la nausée, accroupi dans son purgatoire flottant, et moi qui l'assiste en balançant les seaux par-dessus bord, je ne vaux pas mieux. Nous nous épuisons à en vider vingt ou trente sans comprendre d'où vient le problème. À mesure que nous écopons, les fonds n'ont pas l'air de se remplir trop vite. Mais que c'est dur ! Nous tombons de fatigue. Les batteries en sécurité, nous décidons de remettre à plus tard la recherche de la cause du problème. Nous verrons tout ça au mouillage. Espérons que ce n'est pas trop grave.

L'aube se lève enfin, et avec elle un spectacle majestueux me réchauffe les pores. L'astre est sanguin, la lumière abyssale. Le soleil jaillit de l'Atlantique incandescent pour venir enflammer les voiles, puis il envahit le pont en y déversant sa lave écarlate. La vie revient dans la lumière. Je ressuscite. Ma chair se délasse.

À l'horizon, aucun voilier n'est apparu depuis notre départ. Cette mer est un désert. À peine avons-nous croisé les feux d'un cargo qui passait au loin au milieu de la nuit. Nous sommes désespérément seuls, mais avec le retour du jour, même le tambour houleux me semble un réconfort.

En dépit du soleil qui nous est revenu, la journée n'est pas plus tendre avec nous que la nuit qui l'a précédée.

— Personne ne navigue ici. Et sûrement pas vers l'est. C'est trop violent, dit Pascal.

Il paraît qu'aux Antilles, les gens se contentent de faire des ronds dans l'eau entre la Guadeloupe et les Grenadines, là où les vents sont favorables et les mouillages abondants. Quant aux rares boucaniers qui foncent plus à l'ouest, ceux-là vont aux États-Unis en passant par Cuba et les Bahamas, ou partent passer Panama pour rejoindre le Pacifique. Là alors, c'est une autre histoire. Une vraie vie de marin. Le reste de la mer des Caraïbes ressemble au Kara-Koum en plus humide.

Pascal est un aventurier qui a passé sa vie en cage, coincé dans une auto entre l'Alsace et le Jura. Il méprise les navigateurs du dimanche, les maisons de retraite flottantes et les catamarans qui sentent le sexe et les mojitos à dix milles. Cet homme parle de lui en années valides. Une dizaine tout au plus. C'est pourquoi il court contre le temps qu'il lui reste en bonne santé. « Soixante, soixante-cinq ans. » Après, dit-il, « c'est la chute ». Rien ne l'effraie tant qu'un vieux dentiste bedonnant, le cuir du nombril rouge comme les terres du Salagou. Le genre de type qui fanfaronne sur les pontons comme un vieux loup de mer en prenant la pause devant sa caraque flambant neuf alors qu'il ne sera jamais capable d'en hisser la grand-voile. Avec son appétit du monde, Pascal est un misanthrope humaniste. Sa capacité à définir ses propres règles est admirable, mais il a la mélancolie migratrice. La terre ferme est trop petite. Comme tous les aventuriers, à vouloir vivre son rêve et parcourir le monde, il n'est jamais rassasié d'être ailleurs. Ses filles lui manquent, pourtant il est seul avec son bateau, comme Papa l'était avec ses livres.

Nous entrons en baie de Samaná en demandant aux lames de mer de nous laisser passer chercher le repos quelques heures. Christophe Colomb s'est fait chasser d'ici à coups de flèches, mais nous passons sans heurts sous la

lumière de la lune, voiles affalées, nous fau-
filant jusque dans la réserve naturelle de Los
Haitises pour chercher le petit bras de mangrove que San Lorenzo abrite du clapot. La
nuit est déjà bien avancée lorsque nous jetons
l'ancre dans la vase. Muets d'épuisement,
nous tombons de fatigue. Au réveil, nous
sommes seuls. Autour de nous, des arbres
vierges des hommes et des touffes de fougères.
Là-bas, en lisière de forêt, vivent les baleines
et les pélicans qui nichent par milliers en se
partageant une mogotte avec les frégates et de
petits rapaces. Le ronron de la barque d'un
pêcheur nous rappelle au monde. La mer est
plate, enfin le vent a disparu et nous sommes
vivants.

Dimanche 2 juillet – 10h37

En haut de la seconde cheminée, Pierre et moi nous regardons sans parler. Il a tranché. L'ascension du pic du Midi d'Ossau s'arrête là. À mi-chemin entre le ciel et la terre. Il n'y a plus qu'à profiter de la vue, manger notre sandwich, puis redescendre et mettre un terme à tout ça. Dans ma tête, je sais que je reviendrai vite. Peut-être dès la semaine prochaine. Pourquoi pas demain ? Avec un guide, si besoin, pour ne pas monter seul. Ou pourquoi pas seul justement ? Je me demande même si je vais prendre l'avion et rentrer à Paris. Il fera encore beau demain, je pourrais me greffer sur la corde d'un autre groupe avec lequel je sympathiserais au refuge. Ce sont des choses qui se font. Je rumine tout cela dans ma tête quand un père de famille nous dépasse. Nous l'avons dans le rétroviseur depuis l'aube. Nous nous sommes croisés au refuge hier. Il monte avec ses trois enfants. Ses deux fils aînés ont une quinzaine d'années, et sa fille pas plus de douze ou treize ans. Les grands montent seuls, le père n'assure que la dernière. Quand il est à notre niveau, il nous salue :

— C'est magique aujourd'hui, n'est-ce pas ?

— Oui, réponds-je. Mais pour nous, ça s'arrête là. On va redescendre.

— Ah bon ? dit l'homme sans laisser transparaître quelque jugement dans sa voix.

— On ne le sent pas trop.

— C'est dommage parce que vous avez fait le plus dur.

En entendant ce quadragénaire vigoureux qui connaît comme lui le poids de la responsabilité paternelle, Pierre se reprend. Cet homme entraîne sa famille sur une pente qu'il juge aujourd'hui suffisamment inoffensive pour sa progéniture.

— Ah bon ? dit mon frère. Vous croyez vraiment que le plus dur est passé ?

— Oui, répond l'homme. À partir de maintenant, c'est plutôt tranquille jusqu'au sommet. La première cheminée est la plus longue et la plus impressionnante. Celle que nous venons de passer est la plus technique. La troisième est tranquille. Elle n'est pas très raide et surtout, les prises sont énormes.

L'homme reprend sa route en nous souhaitant une bonne journée. Ses enfants qui l'attendent devant s'impatientent. Quelques secondes passent. Pierre me gratifie d'un regard, puis il me dit, le corps encore fébrile mais les yeux décidés : « Allez, on va au bout ! »

Au pupitre de l'église le jour de l'enterrement, nous avons raconté cet incident survenu quelques années plus tôt comme une mise en garde du destin que papa n'avait pas voulu voir. J'avais onze ans, Pierre en avait seize. Nous laissant vaquer à nos activités sentimentales d'adolescents en villégiature dans un hôtel du Grand-Bornand, un matin papa partit se promener en montagne, seul comme à son habitude. Il se croyait immortel. Lorsque la nuit tomba, il n'était toujours pas rentré. Tout l'hôtel s'inquiétait. L'anxiété ambiante était manifeste et je sentais le malaise confus des regards tout autour de moi. Ces mêmes regards qu'eurent mes professeurs cinq ans plus tard lorsque je revins au lycée. Ils ne connaissaient donc pas mon père ? Je crois que Pierre s'inquiéta vraiment, lui aussi. Cet événement a contribué à forger l'homme vigilant et mesuré qu'il est devenu.

Le patron de l'hôtel venait d'appeler la police lorsque vers minuit, les phares d'une voiture illuminèrent le parking en faisant sur l'assemblée l'effet d'une tournée générale de Xanax. Au bar de l'hôtel, entre impudence ostentatoire et désinvolture poétique, papa nous raconta sa journée sans sembler mesurer l'inquiétude dans laquelle il nous avait plongés. Il n'avoua d'ailleurs jamais vraiment mesurer le danger auquel il venait de s'exposer. Il faisait beau le matin lorsqu'il s'était mis en route. Nous étions en plein mois de juillet. Le temps était sec et chaud depuis des jours. La météo n'annonçait aucun changement à venir. Après quelques heures de marche à suivre un groupe qui le devançait, le vent s'était levé en altitude, puis le froid et bientôt la neige. Papa se fit surprendre muni d'un short et d'un K-Way en banane pour tout équipement. Il s'abrita derrière un rocher pour laisser passer la tempête, mais le mauvais temps prit ses quartiers. Au loin, le groupe avait disparu sans un bruit. Meurtri par le froid, papa fit demi-tour et se perdit en tentant de revenir sur ses pas. Une barre rocheuse haute de quelques étages l'attendait, lui barrant la retraite. Mais papa ignorait le danger. Il la désescalada en s'écorchant les bras avant de se perdre dans les bois et de finalement retrouver sa voiture après de longues heures d'errance nocturne. Je l'écoutais en buvant ses paroles. Les autres étaient sidérés. Moi, j'étais fier de son exploit.

L'année qui précéda sa mort, mon père se fit opérer d'une tumeur au cerveau. Un jour, il s'effondra seul chez lui et perdit connaissance. Le cervelet pilote les fonctions motrices et le sens de l'équilibre. La tumeur appuyait dessus et altérait ses sens. Douze heures après l'attaque, reprenant conscience, il rampa jusqu'au téléphone pour appeler à l'aide. Les pompiers le conduisirent à l'hôpital où il fut opéré en urgence. À cette époque, je croyais encore mon père incassable. C'était impressionnant de le voir ainsi diminué dans son lit d'hôpital au CHU de Lille, le front bandé, les veines irriguées de morphine, le regard éteint. Un hématome de la taille de sa main lui noircissait la figure, signe que la vie vous met parfois de sacrées baffes. L'opération se déroula très bien, il n'aurait aucune séquelle mais grand besoin de repos. À sa sortie, papa passa quelques semaines dans une maison médicalisée où il fit sa convalescence. Lorsqu'il partit ce matin-là, sans doute n'avait-il pas retrouvé l'intégralité de ses aptitudes physiques.

Au rendez-vous des éléments, j'apprends l'art de me rendre invisible. La mer nous laisse enfin passer sans vociférer. Entre les îles Sous-le-Vent, le silence a des mots d'écume. Le clapot bavarde avec la coque. Taiseux, je tends l'oreille, tâchant d'apprendre une langue dont je commence tout juste à saisir le vocable. Derrière nous, les premières nuits sont un mauvais souvenir, un bizutage élémentaire pour apprendre à goûter les beaux jours. Pour une fois, le grand désert bleu est calme et clément, mais je ne suis pas dupe. Le gros temps n'est jamais loin. Nous avons jeté l'ancre sous le regard intéressé des pélicans qui pêchent à quelques brasses d'une centrale thermique. Ils planent autour du mât. Ça fait plouf quand ils plongent en flèche, puis ils remontent à la surface le bec rempli de poissons. Cela dure des heures. Au milieu de la mangrove, la centrale a l'air d'une paria. Sa présence est le prix de notre solitude, bannie d'un monde qu'elle éclaire mais qui ne veut pas la voir. À quelques milles d'ici, à terre, c'est la vie. Une autre vie, de pêche et de pastels.

Dans notre monde connecté, l'éloignement se mesure en barres de réseau mobile. Depuis que nous savons qu'elle est enceinte, Clémentine et moi avons le plus grand mal à nous joindre. Nous sommes pris au piège. L'absence est une névrose. Elle me manque terriblement et je regarde mon téléphone en espérant bêtement voir son nom s'y afficher. En attendant, chaque nuit sur le pont, tandis que je tiens mon quart, j'écris des livres dans ma tête et songe à toutes les lettres que je ne posterai pas. À bord, la paix s'est installée et nous tirons des bords d'une île à l'autre. Les mots se consument dans la conscience au fur et à mesure qu'on les pense. Les grandes idées sont fugitives. Elles jaillissent du cosmos à la vitesse des étoiles filantes et s'éteignent dans le cortex pour y disparaître à jamais. On dirait des fusées de détresses. Ces lumières qui fendent le ciel dans un éclair et retombent aussitôt dans l'oubli. Seul dans l'obscurité, j'ai l'impression de comprendre l'univers. Tout m'a l'air d'une parfaite évidence. Je suis lucide. Le monde est grand comme les yeux d'un nouveau-né, et s'il fait froid, c'est pour garder le corps alerte. Je fais des projets, construis ma famille, achète une maison sur la dune. L'instant dure des heures, mais son souvenir tient dans le coin d'un songe. Au matin, de ce brasier de pensées, il ne reste que les braises.

Petit bout de terre tricolore sorti des flots, on trouve à Saint-Martin toutes les réjouissances qui rendent la vie métropolitaine si agréable. Dans l'ordre : fromage, vin, croissants, journaux. En arrivant à Marigot, je trouve aussi une véritable librairie comme je n'en ai vu depuis des mois où je m'empresse d'acheter la dernière édition du livre de Laurence Pernoud : *J'attends un enfant*. Monument de la puériculture, bible de la grossesse, dans certaines maisons l'ouvrage passe de mère en fille depuis trois ou quatre générations. De retour sur *Zam Zam*, je me plonge dans sa lecture et le sors sur chaque bord, dès que j'ai un moment devant moi.

Je touche terre à l'anse Bertrand et dis adieu à Pascal d'une poignée de main. Clémentine et moi devons nous retrouver en Martinique le lendemain. Pour gagner du temps, j'ai décidé de prendre l'avion depuis la Guadeloupe, que je découvre. Pointe-à-Pitre est une ville ratée. On dirait un brouillon qui n'a pas convaincu son monde. Aubervilliers-sur-Mer. Une ville végétative pas tout à fait finie, condamnée à moisir sous des enduits qui s'écaillent. Ils étaient fous de croire qu'on pourrait vivre dans ces immenses cages grises. La ville titube, empêtrée dans son rhum. Ce ne sont pas des immeubles, ces grosses tumeurs urbaines bourrées de métastases. Seule la mer est belle. Et le ciel. Mais la terre, elle, a disparu.

J'ai écrit à Julie, qui habite Fort-de-France. Elle connaissait un peu papa. Elle était là à son enterrement. Ses yeux bleus ont rencontré les miens quand je portais le cercueil vers le porche de l'église. C'était ma meilleure amie au collège, mon amoureuse aussi. Je lui avais même écrit des poèmes. Dix ou douze ans sans nouvelles et je reprends contact pour lui demander les coordonnées d'un bon gynécologue : « ... j'avais bien prévu de t'écrire, mais entre-temps, j'ai appris que ma copine, Clémentine, qui est à Haïti, est enceinte. Or, on vient de traverser pas mal de zones à risque, donc *on prend un vol pour la Martinique, où nous allons faire toutes les analyses qui s'imposent. »*

Le vol de Clémentine vient de Saint-Domingue et fait escale à Point-à-Pitre. Elle ignore que c'est ce même avion qui doit nous emmener tous les deux en Martinique. J'ai préparé mon affaire pour avancer nos retrouvailles de quelques heures. Sur le tarmac, elle débarque l'air perdue dans ses pensées. Sac sur le dos, ses longs cheveux d'or lui couvrant les épaules, elle erre comme une âme égarée tandis que je l'observe derrière la vitre qui nous sépare encore. Cette femme que j'ai quittée jeune fille sera la mère de mes enfants. L'émotion m'envahit. Nos regards se croisent. Des larmes de joie irriguent nos visages. Enfin, nous sommes ensemble !

Julie et son mari nous hébergent une quinzaine de jours dans leur maison de la Fontaine Didier sur les hauteurs chlorophylliennes de Fort-de-France. Le temps de nous assurer que malgré ses violentes crises intestinales et les poussées de fièvre dont elle a été victime, Clémentine a bien échappé à Zika, trompé le paludisme et maté le chikungunya. Les litres de répulsifs antimoustiques avec lesquels nous nous sommes aspergés depuis des mois ont donc au moins eu ce mérite. Les enfants des autres aident à s'imaginer parents. Julie et Grégory ont deux petites filles sublimes à la peau de vanille et aux boucles café. Nous parlons de grossesse, d'accouchement, d'éducation avec ce couple bienveillant qui nous livre les secrets de son intimité en répondant à nos questions de néophytes. Pour la première fois, tout cela suscite en moi le plus vif intérêt. L'idée fait son chemin. Je prends peu à peu conscience que bientôt, le père, ce sera moi.

Vient le jour de la première échographie. Je n'ai jamais rien vécu d'aussi grand. Clémentine est stressée et je tâche de la rassurer comme je peux : « Tout va bien se passer. » D'abord, nous entendons un bruit étouffé, rapide et régulier comme le tempo d'une musique électronique lancée en plein Berghein. Boum, boum, boum. C'est son cœur qui bat. Le petit être là-dedans nous dit bonjour et semble en pleine forme. Le docteur a allumé l'écran et une forme de lézard constituée de gros pixels noirs et blancs apparaît sous nos yeux. On distingue nettement la tête, le front, la forme du nez et les jambes. Clémentine pleure. Je serre sa main fort dans la mienne. Cette petite

chose qui ne mesure pas encore deux centi-
mètres, c'est notre enfant. Dans quelques
mois, nous serons trois.

Nous avions parlé de l'Inde et du Népal. Je
rêvais d'Himalaya et du tour du Ladakh. Mais
les docteurs sont sans pitié. Ils nous dissua-
dent de nous y rendre avec un bébé en cours
de livraison, et n'ont pas à forcer pour nous
convaincre. L'altitude est déconseillée aux
femmes enceintes. Sans parler de l'hygiène
régionale qui cesse d'être un folklore rigolo
lorsqu'on vous annonce dans le blanc des
yeux qu'une infection intestinale un peu trop
sérieuse peut engendrer une fausse couche.
Sur une plage de l'Anse Meunier, nous pesons
le pour et le contre et décidons finalement
d'encaisser la nouvelle en rentrant à Paris pour
la partager avec nos proches. À partir de trois
ou quatre mois de grossesse, mieux vaut commencer à éviter les déplacements trop pénibles
pour la mère. Il nous reste donc encore un
peu de temps.

Une compagnie aérienne low cost propose
des vols intéressants entre Fort-de-France et
New York. Clémentine a là-bas une cousine

qui peut nous héberger, si bien que nous sautons dans l'avion sans nous poser de questions. C'est en débarquant à JFK que nous mesurons la bévue lorsque le froid nous saisit les orteils. Depuis des mois nous vivions à moitié nus, et tout à coup les températures sont négatives. Le vol nous a fait traverser les saisons sans permettre à l'automne d'assurer la transition. Nous tombons en plein hiver sans parachute de laine au fond du sac.

De retour dans la civilisation de l'excès et de la surconsommation, New York m'étouffe vite. Trop de bruit, de monde, et surtout beaucoup trop cher pour un couple d'apatrides en escale. La démesure devient la norme et la nature l'exception. Tout nous paraît trop, la magie n'opère pas. Les gens se représentent toujours New York comme une ville tombée du ciel et baignée dans l'Hudson, mais c'est une réalité qu'on réserve aux touristes. Loin des buildings étincelants de Manhattan ou des vitrines branchées de Brooklyn, les immeubles de briques érigés dans les années cinquante se fissurent en se recroquevillant sur eux-mêmes. Leurs quatre ou cinq étages semblent avoir été écrasés par le temps. Les échelles de secours rouillent sur les balcons, les carreaux sont fendus, les poubelles débordent de clochards. De bloc en bloc, sous le métro aérien qui fait un bruit infernal, les visages de la misère présentent tout l'éventail épidermique que compte la planète : Chinois, Afros, Indiens, Sri-Lankais, Russes, Latinos, Irlandais. Les néons colorés de Times Square ne me font aucun effet sinon celui d'être un mouton. Sous son maquillage, New York a tout d'une pute de luxe. Une ville de pauvres érigée pour les riches.

La profusion me paraît indécente. Même une réjouissance telle qu'un match des Knicks au Madison Square Garden me fait l'effet d'un voyage chez les fous. Voir une rencontre de NBA était un rêve de gosse, j'aurais dû le laisser où il était. Le public obèse en communion avec ses athlètes millionnaires transpire sa pizza dégoulinante de fromage fondu, allégorie moderne de la décadence romaine dans les tribunes du Colisée. La nourriture de ce pays me met de mauvaise humeur. Les hot-dogs poussent aux arbres de Central Park. Les fruits ont disparu. Des sodas aux couleurs intenables les ont remplacés.

✳

Papa n'a presque jamais quitté la France. C'était un vrai terrien, chauvin comme un coq, absolument convaincu que notre pays est le plus beau du monde. Peut-être avait-il peur de l'avion. En tous cas, il nourrissait un antiaméricanisme assez primaire, sauf pour le McDonald's de la place Marcel Sembat à Boulogne, où il nous emmenait souvent déjeuner le mercredi. Cette radicalité bornée de l'esprit allait pourtant contre sa curiosité naturelle. Pour lui, un peuple de bodybuildés dont le plat national est un bout de viande collé par du cheddar à deux tranches de pain brioché était nécessairement un peuple de dégénérés. Il préférait le vin au Coca-Cola et ne s'en cachait pas. Son intérêt pour les marques de sport, les stars, les émissions débiles et la musique de sauvages était à peu près nul. Ce qui nous valut quelques remarques acides le jour où nous lui fîmes écouter Michael Jackson pour la première fois. Pierre voulait aller au concert. La négociation tourna court. Quel genre de malade mental fallait-il être pour changer de couleur de peau ? Et quel exemple ces fous donnaient-ils à ses enfants ? Chez les jésuites, Papa n'avait pas appris la fantaisie. Avait-il même eu une jeunesse ? Ce caractère tranchant a un peu déteint sur moi. J'essaye de regarder tout cela avec un œil d'anthropologue, mais il n'empêche. Une ville où tout le monde court avec un gobelet à la main, et qui ne s'alimente que de viande hachée et de donuts a quelque chose d'inquiétant.

Depuis quelques années, mon père nourrissait en revanche une fascination nouvelle pour la Chine. Il nous parlait souvent de l'essai d'Alain Peyrefitte, *Quand la Chine s'éveillera*. Un pays qui a une croissance à deux chiffres et une population en passe d'atteindre le milliard d'âmes n'allait pas continuer à accepter de faire fabriquer nos chaussures par ses enfants pendant des siècles. Il était lucide sur la France et le fait que notre pays ne pourrait pas rester éternellement à jouer des mécaniques au concert des nations grâce à un tour de passe-passe de De Gaulle. Il nous en parlait chez Joseph. Peut-être aurions-nous fini par aller ensemble visiter Pékin. La Cité interdite me faisait rêver. *Le dernier empereur* était mon film préféré.

Ce qui est curieux, c'est que papa a voté Le Pen en 1995. Cela me coûte d'y penser, mais me permet de chercher à comprendre pourquoi. Comment regretter un homme qui avait des opinions si radicalement éloignées des miennes, fût-il mon père ? Le lepénisme d'alors n'était pas tendre. Il promettait le renvoi de trois millions d'immigrés à la frontière. Le mettre face au portrait de mon père est une insulte à son intelligence. Alors pourquoi ? Papa ne nous parlait jamais de politique intérieure et pas une seule fois ne s'abaissa à faire une remarque sur l'origine de mon meilleur ami, un musulman né de parents algériens. Il détestait surtout les énarques. Chirac, Jospin, Balladur. En particulier le premier avec ses magouilles de vendeur de tapis à la mairie de Paris. Ils avaient en commun d'avoir fait la même école que le patron qui l'avait mis sur la touche, « un sale con qui n'y comprenait rien ». C'était pendant les années d'or du harcèlement moral au travail. On l'avait envoyé au placard lors de la fusion entre AGF et Allianz. Papa ne décolérait pas.

Les photos de Pierre Gauthey de la Forest, notre grand-père, montrent un homme à l'image de ces soldats que les familles de France envoyèrent au caveau après avoir encadré leur portrait au-dessus de la cheminée. Héritage pas si lointain du mariage d'un roturier qui avait fait contre petite fortune grand nom, mon frère et moi n'avons jamais souhaité garder la particule que nous trouvions ridicule. Un nom à rallonge apposé à mon prénom rocailleux m'aurait porté préjudice et interdit de remplir un formulaire des impôts convenablement. Marc-Arthur Gauthey de La Forest, en plus d'être ridicule, c'était franchement intimidant.

Viril comme un cervidé mâle, la pipe au bec, le regard noir qui part à l'horizon, profond et robuste, Pierre Gauthey de la Forest pose en uniforme devant le char d'assaut qu'il vient de réparer. Sur une autre photo, le képi vissé sur la tête – képi avec lequel j'ai joué bien des fois en le tirant de la malle à déguisements de la maison de Bourgogne, preuve que la mémoire des héros de guerre ne passe pas l'éternité au Panthéon –, le front droit, les traits lisses, le nez imposant, le menton conquérant, il est jeune, décoré comme un sapin, et arbore candidement les valeurs d'une époque où l'on faisait encore croire aux familles que c'est un privilège d'aller mourir pour la patrie. Pierre Gauthey de la Forest fut décoré de la Légion d'honneur à titre posthume. Maigre consolation pour une veuve et ses quatre enfants.

Mon grand-père n'avait pas l'air d'un tendre : il dégage l'intelligence mécanique d'un cerveau rempli de douilles et de boulons. Le genre de type qui tire et qui réfléchit après. Ces hommes pour qui la réflexion est l'ennemie du bon sens, et le temps du jugement contraire aux règles élémentaires de survie en territoire hostile. Quand on y pense, c'est quand même bête d'avoir sué des hectolitres en Indochine sans en tirer de leçon. Qu'on le veuille ou non, tôt ou tard, les autochtones finissent par vous foutre dehors. Pierre Gauthey de la Forest est mort en Algérie. Dans une embuscade, paraît-il. Une maison, un traître, un guet-apens, puis un télégramme pour annoncer la nouvelle. Papa nous en parlait parfois, en étalant sur la table basse toutes les décorations militaires qui nous fascinaient et qu'il conservait dans une boîte à bijoux juchée sur le radiateur du salon. En plus de ses médailles, papa avait hérité du bureau de son père et de sa collection de pipes. J'en ai conservé une par principe. Il gardait de lui le souvenir estompé d'un homme bon qui aimait la moto et faisait voyager sa famille de caserne en caserne au gré des guerres qu'il menait. Peut-être aussi avaient-ils nourri tous les deux une relation particulière vu qu'il était le seul héritier mâle. En tout cas, papa avait souffert de n'avoir presque pas connu son père. Un jour que j'étais là, au détour d'un long trajet d'autoroute pour remonter l'A6, mon père s'arrêta demander à sa cousine Édith de lui parler longuement de son paternel, qu'elle avait mieux connu que lui et dont elle était la filleule. Il avait cinq ans, peut-être six lorsque son père disparut. La blessure infligée par cette nouvelle au petit garçon qu'il était n'avait jamais cicatrisé. Elle s'était même infectée avec le temps jusqu'à devenir une plaie ouverte qui suintait la rancœur. Papa faisait une psychanalyse depuis des années mais n'en parla jamais. Édith lui raconta les promenades du dimanche, son uniforme kaki, sa moto qu'il bricolait, les oncles et les tantes qui l'entouraient. Pierre Gauthey de la Forest avait donc bien été vivant. Je pense que c'était la seconde fois seulement qu'il reprenait vie dans la bouche de quelqu'un d'autre que mon père. Après sa mort, mon grand-père était devenu un fantôme et son nom un tabou. On allait fleurir sa tombe une fois par an, puis parfois, puis jamais. Pour éviter d'avoir à parler de leurs morts, les catholiques bottent en touche du côté de la vie éternelle. Ensuite, c'est la mémoire qui s'éteint.

La première fois qu'on a parlé de son père à papa, j'étais là aussi, sur les rives du lac d'Annecy. C'était avec un de ses vieux camarades de campagne qui avait sûrement veillé sur ses fesses dans les sables de la Bouzegza et démoli de l'indigène sous les ordres de Massu. Cet homme aussi s'appelait Pierre. Un nom pour faire des mausolées. Il savait évoquer le passé avec le génie des conteurs. En l'écoutant parler, mon père retombait en enfance. Son regard se troublait d'une mélancolie de jouvence. À son premier fils, il donna le nom de son père. Un hommage, un fardeau, une façon de le faire vivre. Ma grand-mère veuve, avec quatre bouches à nourrir en plus de la sienne, épousa son cousin germain en secondes noces et prit son nom dans la foulée. C'était après la guerre, les veuves s'accrochaient aux branches qu'elles trouvaient pour freiner leur déclin social en chute libre, l'époque n'étant pas trop regardante sur la consanguinité tant qu'on faisait l'effort de sauver les apparences. L'oncle Jean-Jacques avait la situation qu'il fallait. Bon chrétien, proche de ses sous, jamais marié, inspecteur à la Banque de France et propriétaire d'une petite fortune qui garantissait la soupe chaude de ses rejetons, grand-maman signa de bon cœur en prenant peut-être soin d'ajouter au contrat la clause selon laquelle elle ne lui donnerait jamais d'enfant. Ces deux-là s'aimèrent-ils ne serait-ce qu'une minute ? Ils ne s'embarrassèrent en tout cas jamais d'en donner l'illusion, mais peut-être étaient-ils simplement déjà trop fanés pour se chérir encore un peu lorsque je vins au monde.

Les demeures des vieux bourgeois se ressemblent toutes plus ou moins. Belle hauteur sous plafond, parquet d'essence noble et cheminées de marbre. Chez grand-maman et oncle Jean-Jacques, dans leur appartement de la rue Taitbout, chacun avait sa chambre, meublée de commodes Louis XVI en noyer et de vases en porcelaine de Chine. Sur leurs tables de chevet, un livre de messe recouvrait les mots croisés du *Figaro Magazine* et au-dessus de leur lit était accroché un crucifix. Les murs étaient ornés de gravures napoléoniennes dans des cadres dorés. Cet appartement arborait la même austérité chrétienne drapée dans sa piété que celle qui émane d'une charmante chapelle de province. Les plaies du Christ au flanc droit et les couronnes d'épines, c'est joli sur les routes en été, mais on a déjà vu plus coquet comme décoration d'intérieur. Cette esthétique morbide constituée du triptyque passion du Christ, trophées de chasse et tableaux d'illustres ancêtres au teint maladif me fascinait autant qu'elle m'inquiétait. Lorsqu'on arrivait chez eux, grand-maman était toujours à la cuisine et l'oncle Jean-Jacques assis dans son fauteuil, les pages saumon sur les genoux, lunettes au bout du nez, l'air appliqué d'un comptable qu'on dérange en plein bilan. Nous approchions notre front, et lui disait « Bonjour, fils » en y déposant un baiser du bout des lèvres. C'était le dimanche, nous allions souvent déjeuner chez eux après la messe. Les autres fois, le repas se déroulait chez nos cousins. Ils invitaient le curé pour parler de l'Espérance en mangeant du poulet.

Les quatre tilleuls du jardin des Pendants ressemblaient aux colonnes du temple de Ségeste. Les adultes avaient l'habitude de venir y boire le café après le déjeuner. C'était au mois d'août, pour profiter de l'ombre fraîche, pendant qu'une ribambelle de cousins s'en allait piailler dans les cabanes ou se baigner dans la Saône. À quelques kilomètres de Tournus, la maison des Pendants était une grosse demeure de pierre aux proportions bourgeoises, abritant suffisamment de chambres pour accueillir un régiment de cousins en permission estivale. Le confort n'y était pas tout à fait moderne, ce qui donnait un surplus de charme à nos vacances de petits citadins. Le chauffage central ne fut installé qu'au début des années quatre-vingt-dix. Jusqu'alors, on chauffait chaque pièce au charbon en allumant le poêle avant d'aller dîner. J'aimais monter les braises dans la chambre de mon père et ouvrir la lourde porte de son poêle en fonte pour les y enfourner. L'entrée de la maison était patibulaire. Un vaste hall d'où une chouette empaillée posée sur un buffet sombre, le buffet normand, nous surveillait derrière ses deux yeux de verre. Cette chouette fit faire des cauchemars à des générations d'enfants. Pour tenir compagnie à la pauvre bête, une tête de chevreuil surplombait la porte de la salle à manger et celle d'un sanglier était accrochée en bas des escaliers. C'est de là que Pierre et moi appelions notre mère chaque soir lorsque nous étions en vacances, utilisant ces anciens téléphones à cadran où il fallait planter l'index et tourner la molette pour enclencher le mécanisme et composer les numéros. La maison dominait un grand jardin sur deux niveaux ainsi qu'un bois et un verger. Ce jardin était la réjouissance de mon père et l'espace d'une liberté sans borne pour tous les cousins qui y couraient du matin au soir. Autrement, nous allions nous cacher dans le tinailler, couper des bûches, faire de la balançoire, tondre avec le tracteur ou faire du vélo jusqu'au platane de Préty en passant par le Chemin des Poules. Midi était d'abord le temps des enfants. La cloche retentissait dans tout le jardin pour annoncer le rappel des troupes. Mes cousins et moi déjeunions tous ensemble, assis autour de la table de la grande cuisine, sous le regard avisé de nos tantes qui s'assuraient du bon déroulement des opérations. Alignés comme nous l'étions, nous avions l'air d'une bande d'oisillons qui crient famine au fond du nid en attendant un ver à becter. C'est dans cette cuisine que j'ai vu grand-maman faire bouillir ses casseroles sur une cuisinière à charbon avant que la modernité ne prenne définitivement ses quartiers dans les bouteilles de butane. Ce monde n'était pas celui des hommes. Ils se sentaient aussi étrangers dans une cuisine que dans un grand bazar d'Orient, et s'y faisaient donc aussi rares que possible, réservant aux femmes à peu près tout ce qui se rapportait de près ou de loin à une tâche domestique. Mon père ne faisait pas exception. Dans le jardin, il avait retiré sa chemise et fumait sa cigarette roulée en taillant les buis. Il fauchait les herbes, sciait des branches et jetait ensuite le tout sur un grand bûcher d'où s'échappait l'épaisse fumée blanche des bois verts qui se consument. Je le retrouvais là, sa fourche entre les mains, à tasser son tas de branches de coups vigoureux qui lui creusaient l'estomac. Pendant ce temps, mes oncles lisaient les journaux au salon en attendant que le repas leur soit servi. Venait ainsi le temps des parents dans la grande salle à manger, qui était interdite aux enfants. Grand-maman avait dressé la table avec une vaisselle de Sèvres et des couverts à manches d'ivoire. Chacun avait un rond de serviette en cuivre qui lui était attribué. La promiscuité effraie les gens taciturnes. Cette table était si grande qu'un plateau tournant était installé au milieu pour se faire circuler les plats sans avoir à se lever. On chantait le bénédicité, puis on déjeunait là entre adultes à parler des arbres qu'il faudrait tailler et du sermon du curé. Ensuite, les femmes débarrassaient et les hommes passaient au salon, où ils attendaient le café en fumant. Dans ce salon, nous avons souvent fêté Noël. Le 24 au soir était réservé à la messe de minuit et à la prière, ce qui faisait du 25 décembre au matin le plus beau réveil de l'année. La neige avait recouvert le jardin de son manteau blanc. Je sautais du lit et courais vers le salon. On petit-déjeunerait plus tard. Face à la porte, qui demeurait fermée sous le regard de la méchante chouette, nos parents nous alignaient du plus petit au plus grand, puis ils ouvraient le sas et nous nous engouffrions dans ce paradis merveilleux de jouets et de jeux. Sur la vieille peau de vache étalée face aux braises de la cheminée, chacun retrouvait son soulier, et un tas de cadeaux fabuleux que nous nous empressions de déballer dans des cris de joie et de chaudes embrassades.

Je ne sais quand ni comment tout ce bonheur vola en éclats. Je sais juste que les langues se délièrent un jour, et qu'il y avait tant de poussière sous le tapis que les adultes faillirent tous s'étouffer avec. Dans les rues des beaux quartiers, derrière les façades bourgeoises des immeubles auxquels Haussmann a donné son nom, ils s'engluèrent dans les abysses mortifères de la *Comédie humaine*. Cette fois, le drame était bien réel. On jouait Balzac à domicile en s'écharpant comme des primates dans les branches de mon arbre généalogique. Papa en voulait à sa mère, il se brouilla avec ses sœurs, et sa mort finit de morceler la famille comme une chips écrasée. Ils durent tous beaucoup se haïr car mes tantes ne se manifestèrent presque pas. Personne ne nous proposa jamais d'aller fleurir sa tombe à nos côtés ni n'appela une seule fois pour l'anniversaire de sa mort.

Adolescent, j'ai souffert de cet ostracisme familial que Pierre ne voulait pas voir, peut-être pour mieux nous en protéger. Lui continua d'entretenir une sorte de cordialité mondaine de façade lors des mariages auxquels nous demeurions conviés par des faire-part impersonnels et où je refusai peu à peu de me rendre pour ne pas m'y sentir étranger. Réciter des banalités m'angoissait, les écouter encore plus. Nous ne fûmes bientôt plus conviés, ce qui eut le mérite de clarifier les choses. Le plus douloureux, ce n'est pas d'être rejeté ni de subir des rafales de sourires hypocrites sans sourciller. C'est de se sentir lié par le sang à la médiocrité en priant pour ne pas avoir hérité du gène. À la dernière Épiphanie, je manquai de m'étouffer en mangeant ma galette. « Ça nous fait tellement plaisir de vous voir ! » Le nez de ces gens s'allongeait si loin à mesure qu'ils palabraient qu'ils faillirent me crever un œil et moi le leur casser d'un coup de front. Ils ne nous avaient jamais téléphoné, comment pouvaient-ils dire des choses pareilles ? Tout occupés qu'ils étaient à cirer les bancs des églises pour prêcher à leurs semblables l'amour d'autrui et la paix du Christ, ces gens étaient devenus trop lâches pour ravaler leur orgueil et prendre soin de deux enfants tristes.

Deux ans après mon père, grand-maman mourut, et la maison familiale des Pendants fut vendue. Dire que nous avons été lésés ce jour-là ne serait pas tout à fait honnête, quoique nous ayons dû croiser le fer pour défendre notre part. Nous achevâmes ce dernier week-end familial aux Pendants en enfermant les reliques de notre enfance dans un semi-remorque chargé de meubles de campagne et de têtes de chevreuil empaillées. L'objectif de ces deux jours était de solder cette vente et de nous répartir les meubles qui encombraient la propriété. Quelques cousins étaient venus pour dire adieu à la maison où nous avions si souvent fêté Noël et passé de merveilleuses vacances. L'occasion aussi de faire un dernier tour du jardin où nous aimions faire des cabanes et cueillir des groseilles. La première surprise en arrivant fut de découvrir un bivouac dans la bibliothèque, où deux matelas jetés au sol nous avaient été réservés, à Pierre et moi. Dans la chambre de mon père, « la chambre de l'oncle Xavier », comme chacun l'avait toujours appelée, laissant la filiation sans équivoque, et où j'avais tant de souvenirs à emballer, ma cousine Lorraine, pieusement pucelle jusqu'à ses noces célébrées l'été précédent, s'était installée avec son mari en faisant valoir leur droit de jeunes époux. Jurisprudence faisant foi, les bases étaient posées, mais j'eus du mal à comprendre les règles d'un jeu dont la partie venait de commencer sans que Pierre ni moi ne nous en soyons tout à fait rendu compte. Quoique représentants de notre père, héritiers de sa mémoire et de ses droits, les adultes, que nous vouvoyions et qui nous tutoyaient, avaient mis un soin particulier à nous maintenir dans notre condition d'enfants, de « cousins », pour nous faire avaler des ronces.

« On va prendre la table de la salle à manger, me dit ma tante de sa voix de poularde, puisque de toute façon, vous n'avez pas la place. » Je ne pouvais qu'acquiescer malgré mon envie de lui crever les yeux. Elle avait raison. Tous avaient déjà d'autres propriétés champêtres où ils mariaient leurs enfants et qui accueilleraient sans mal tous ces meubles. Moi, je vivais chez ma mère. « Un meuble, ça doit vivre. » « C'est bien que tout cela reste dans la famille. » « Tu sais, vous passez quand vous voulez ! » La répartition avait été faite par l'oncle Jean-Jacques, selon l'expertise d'un antiquaire du coin qui aurait évalué une bûche à prix d'or pourvu qu'on le lui demandât gentiment. On nous prenait pour des dindes. En suivant leur raisonnement, nous n'avions besoin de rien puisque nous étions jeunes, sans maison secondaire et à l'abri du besoin grâce aux legs de notre père. Les hyènes auraient pu tout prendre sans même nous laisser les restes si je n'avais pas montré les crocs et laissé voir que j'étais enfin prêt à donner des coups de patte. Il m'avait guidé en toutes circonstances, mais cette fois, Pierre était dans la tempête. Mon frère ne savait plus où donner de la tête, baladé par plus coriace que lui, incapable de s'avouer que ces bons chrétiens étaient de mauvais bougres. Ce jour-là, je pris le relais et je devins adulte. J'avais dix-sept ans. J'entrais en première, et nous affrontions un commando d'élite de la mauvaise foi se faisant passer pour les pudibondes dames-cathés de la communauté de l'Emmanuel. L'ambiance virait au dramatique. Assis à la table de la salle à manger qui avait accueilli les soupers de famille pendant plus d'un siècle, Pierre et moi représentions notre père. De part et d'autre, chaque couple avait pris place, lorgnant le gras du bifteck, prêt à bondir. L'oncle Étienne n'était pas comme eux. En voyant se dérouler sous ses yeux le spectacle tragique de mon frère et moi roulés dans la farine, il tenta de prendre les choses en main pour rectifier le tir.

— De toute évidence, dit-il d'une voix douce et posée qui fit taire la meute un instant, il y a eu une erreur en défaveur des frères Gauthey.

Lui n'était pas banquier, il était ingénieur, génie civil, moins doué pour maximiser le profit que pour équilibrer les charges. Méthodiquement, Étienne reprit la répartition initialement prévue et imposa une distribution nouvelle qui sauvait les apparences et nous rendait nos dus. La méprise fut mise sur le compte de l'oncle Jean-Jacques en arguant que le pauvre homme était gâteux. Mais le mal était fait. Incapables de réfréner leur appétit du gain, ces gens avaient eu la faiblesse de se démasquer, annonçant la tournure nauséabonde que prendraient les événements dix ans plus tard.

À quatre-vingts ans passés, l'oncle Jean-Jacques se remaria avec un amour de jeunesse qu'il avait laissé filer un peu plus d'un demi-siècle plus tôt. Cette femme, tante Claude, était la marraine de mon père. Une renarde qui ne s'était jamais laissée apprivoiser, faisant étal de sa vie de femme libre face à la bien-pensance barbante des culs bénis en culotte courte. Elle avait quelque chose de Simone Veil dans son regard bleu et ses rides qui sentaient la vie. Pour boucler la boucle, Pierre, alors étudiant à Nice, et dont l'oncle Jean-Jacques était le parrain, fut choisi pour être le témoin de ce mariage de vieillards. Ils n'étaient que quatre ce jour-là dans l'intimité de la mairie de Tourrettes-sur-Loup, humble village médiéval perché dans les collines calcaires de l'arrière-pays niçois. Oncle Jean-Jacques était mourant. Lorsqu'il rendit son dernier souffle cinq ans plus tard, j'étais en Italie, profitant d'une semaine sur la côte amalfitaine pour me gaver de burrata. En apprenant la nouvelle, je sautai dans l'avion, abandonnant Clémentine à Naples pour faire l'aller-retour aussi vite que possible et assister aux obsèques aux côtés de mon frère. Après la messe célébrée à Paris dans l'église de la Trinité, nous partîmes pour la mise en terre, qui avait lieu en Bourgogne. Dans le cimetière humide et gris posé au milieu des vignes nues soufflées par le vent, nous n'étions pas venus nombreux. Personne ne dit un dernier mot. On murmura un *Notre Père*, un *Je vous salue Marie*, puis on se dispersa. Un vieil homme mourait sans enfant. À qui manquerait-il ?

Je ne saurai jamais si l'oncle Jean-Jacques était un juste, un lâche ou un pervers. Ma mère ne l'a jamais aimé. Je pense qu'au fond, papa non plus. Pourtant, cet homme qui avait pris la place de son père fut le parrain de son fils. Drôle de coutume. Six semaines plus tard, Pierre et moi apprenions que bien avisé par les recommandations financières de mes oncles banquiers, l'oncle Jean-Jacques avait adopté mes tantes après la mort de mon père en prévoyant ainsi l'intérêt fiscal évident de la manœuvre. Les héritiers directs ne paient pas le même impôt. Ils étaient quatre enfants, mais le gâteau n'avait plus que trois parts. Mon père mort, il avait disparu de l'équation et nous avec. Pierre et moi fûmes lésés de la sorte, ne touchant pas un centime de cette fortune immense dont un huitième aurait suffi pour passer quelque temps au chaud. Après avoir ouvert le testament dans l'intimité fumeuse d'un office notarial où nous ne fûmes évidemment pas conviés, personne n'eut le courage de nous téléphoner pour nous annoncer la nouvelle. Trop honteux peut-être d'encaisser enfin une erreur de la banque en leur faveur dont ils gardaient le secret depuis plus de dix ans. J'imagine que depuis, le confessionnal de la Trinité ne désemplit pas, et qu'ils implorent chaque jour le pardon du Ciel pour leurs mesquineries bien terrestres. Chez nous, les bons chrétiens boivent l'eau de Lourdes et courent à Compostelle, où ils brûlent des cierges en implorant la miséricorde pour vous avoir planté des couteaux dans le dos. Nous avons appris tout cela le jour où tante Claude, dépitée, tenta de réparer l'affront en voulant nous donner une partie de la part qui lui revenait en tant qu'épouse.

— Il m'avait juré qu'il avait tout prévu pour vous, nous dit-elle, désolée.

Tout prévoir, était-ce ne rien laisser ?

Pierre revit mes tantes une fois au bar d'un grand hôtel dans le quartier de Saint-Lazare. Ils s'étaient donné rendez-vous en terrain neutre pour mettre les choses au clair après qu'il eut emplâtré le tympan d'un de mes oncles qui s'était aventuré à lui passer un coup de fil pour quelque raison administrative. Coincé en Équateur, je m'en voulais de ne pas pouvoir faire front à ses côtés, rester unis jusqu'au bout. Les vrais bandits ne plaident pas coupables. Ces filles de mauvaise vie qui se pavanent à Paray-le-Monial en disant leur chapelet firent mine de ne pas voir le problème. Peut-être étaient-elles sincères. Un vieux barbon sans descendance lègue sa fortune à qui bon lui semble. Elles avaient respecté ses dernières volontés.

Pierre m'appela dans la foulée. Il avait contenu sa colère, préparé son propos, dit les choses calmement, puis mis un terme à l'entretien. Il était soulagé.

— Au moins, dis-je, on peut être fiers d'une chose.

— Laquelle ?

— On n'est pas comme eux ! Ça vaut cent fois tout le reste.

✳

Le vent s'est allumé dans la nuit. Je ne sais plus trop quand cela a commencé. Quand je me suis réveillé, les oiseaux avaient disparu. Les oies sauvages et les cygnes qui campent au milieu des herbes jaunes s'étaient envolés. J'ai pris pour habitude d'appeler ces herbes jaunes des têtes de blonds. La forme ronde de leurs touffes me fait penser aux cheveux des Islandais, sauf à ceux d'Una, notre hôtesse, qui est rousse. Lorsque l'on marche au milieu, on a l'impression de survoler une foule de gens agglutinés, comme si la végétation avait pris l'apparence de ceux qui la foulent parfois. Par la fenêtre, je vois les arbres se prosterner et les montagnes disparaître dans le blizzard. La tempête se mesure en décibels et aux cris des éléments qu'elle secoue. Les murs se sont mis à trembler comme si le toit allait se soulever et les fenêtres voler en éclats. J'ai senti la maison tanguer pendant des heures, puis tout s'est arrêté. Lorsque le vent se calme, il respire. Cela peut durer quelques secondes, une dizaine de minutes, le temps pour un marin de panser ses blessures ou de faire sa prière, puis cela recommence. Comme lorsque j'étais sur mon bateau, mais en bien plus fort. Ces deux vents se connaissaient. Ils doivent être cousins. Ils portent en eux la même violence, la même force face à laquelle on ne peut rien. Un rappel de la Terre sur l'ordre des choses.

Les objets que j'avais laissés dehors volent comme des feuilles. La pelle à neige voltige. Traînée par une force invisible qui lui fait parcourir une trentaine de mètres en tapant contre la terre qui grince. Les bâches en plastique que j'avais posées pour repeindre la maison se sont prises dans des planches et se déchirent en claquant comme du bois qu'on écrase. Quant au tracteur du petit, il est parti s'échouer dans le fossé à une centaine de mètres de là. Au dire des fichiers météo que je télécharge pour m'informer de la situation, les rafales atteignent les cent vingt kilomètres-heure, mais j'ai l'impression qu'elles font le double. La maison va décoller et nous avec. Il paraît qu'ici, lorsque le vent est vraiment fort, ce sont les bottes de paille qui s'envolent. Elles tombent de leur tas, roulent dans les champs et descendent jusqu'à la rivière qui coule au milieu du fjord. Jonathan dit que c'est assez courant. Des tempêtes comme celle-là, il peut y en avoir dix en hiver. Une année, cela a duré cent jours. Ils ont failli devenir sourds. Moi, je n'ai jamais vu le vent souffler si fort. L'Islande est une turbine. Drôle de pays pour les hommes que cette île des mers gelées.

Le quatrième matin, le vent a disparu. Nous commencions à peine à nous y habituer. La vie, qui ne s'était pas tout à fait arrêtée, reprend son cours. En Islande, chaque matin échappe au jour ou à la nuit en donnant l'illusion d'une éternité. Le silence et la fureur se succèdent sans que la lumière change. Comme si hier et demain ne faisaient qu'un. À regarder le ciel et les montagnes qui nous entourent, la vie semble avoir toujours été ainsi et ne devoir jamais changer. La réclusion rend attentif à tous les sons. Les mouches tapent au carreau. Le vent passe dans la toiture. Les oiseaux chantent timidement. Ce calme vous rend nostalgique de la veille.

Au nord-ouest de l'île se trouve la région des Westfjords. Une terre de sel et de baleines. Un désert de pierres tranchantes et de pâturages célestes grignotés par la mer. Ici, l'Homme est un étranger. Le fond d'un fjord aride abrite la ferme laitière de Jonathan et Una, à quelques kilomètres du village de Flateyri et de ses cent cinquante âmes, port et piscine compris. On trouve là une étable, une grange et deux maisons, dont celle que nous habitons, Clémentine et moi. Il est huit heures du matin et le jour est levé depuis cinq heures au moins. À cette époque, le soleil ne se couche jamais tout à fait. Il se promène lentement sur les sommets des plateaux qui nous entourent. La température est proche de zéro. Il a neigé cette nuit. L'été a officiellement commencé depuis deux jours. Je suis allé aider Jonathan avec les bêtes. Tempête ou pas, il faut sortir le foin et nourrir les soixante-dix veaux et vaches de l'exploitation.

À travers le carreau, n'importe qui serait pétrifié par la majesté écrasante des éléments avec lesquels nous cohabitons. Vivre ici est autant une folie qu'une évidence. Jonathan dit qu'autrefois, plus de quatre cents personnes vivaient dans le fjord. Le village comptait une école, un médecin. Désormais, en dehors de Clémentine et moi, son premier voisin est à plus de cinq kilomètres. « C'est la taille de Singapour », dit-il en riant. La ferme appartenait à sa mère et avant cela à son grand-père, alors il l'a reprise à son tour. C'était une évidence. Aussi loin qu'il se souvienne, Jonathan a toujours voulu être fermier. Una aussi a grandi par ici, mais elle aimait Reykjavik. Elle est revenue par amour, mais elle a refusé de devenir fermière. Elle est institutrice. Le froid et l'isolement sont inscrits dans le code génétique dont les Islandais ont hérité et sans lequel Clémentine et moi sommes forcés de composer. Il y eut les routes, les avions, les tunnels. L'usine de poisson de Flateyri qui ferma ses portes dans les années soixante. Ceux qui y travaillaient partirent trouver un emploi ailleurs. Les gens sont contraints de partir lorsque les pays sont en guerre ou lorsque les usines ferment. Au fond, c'est toujours une question de survie.

Le lendemain de notre arrivée, Jonathan m'a tendu un pantalon de toile, une paire de bottes, une vieille veste polaire violette dont la fermeture Éclair était cassée, et une combinaison de travail floquée du logo d'un de ses fournisseurs. Même propre, tout cela sentait déjà la bouse.

— Tu es un fermier, maintenant, m'a-t-il lancé en riant.

J'ai enfilé les bottes et la journée a commencé par le nettoyage des flaques de bouse dans lesquelles mes pieds pataugeaient. Mélangée à l'urine de bovin, on aurait dit de la boue. Puis j'ai donné du foin aux vaches et désinfecté leurs couchages avec une litière de sciure et de savon. Un veau était né dans la nuit. « Il est mignon », a dit Clémentine en demandant, ingénue, si le petit avait un nom. Jonathan a répondu d'un sourire : « 1362 ». Puis il a laissé exploser ce rire joyeux qui l'accompagne partout. À califourchon sur le veau tremblant de froid et de terreur qu'il serrait entre ses jambes, c'était le matricule qu'il était en train de lui agrafer sur l'oreille.

Je suis très excité à l'idée d'assister à ma première naissance. L'économie du lait et du steak-frites prend un tout autre visage quand on la remonte à la source. En entrant dans l'étable à l'aube, je trouve une vache fatiguée qui respire fort. Ses naseaux fument. Pas besoin d'être vétérinaire pour voir qu'elle souffre. On l'a mise à l'écart des autres et elle s'est allongée sans un bruit. Clémentine est là aussi. Nous observons la vache travailler, sensibles à ses gémissements de douleur. C'est mon premier accouchement. Est-ce donc toujours ainsi ?

Clémentine voudrait pouvoir l'aider, alors elle lui parle doucement. Elle lui dit que tout va bien en lui passant la main sur le museau. On dirait qu'elles se comprennent. Les contractions s'accélèrent. Le col se déforme comme un gros ballon de baudruche qui va se déchirer. On aperçoit les sabots du veau qui font des allées et venues entre l'air libre et l'utérus. Ils sortent, puis disparaissent. Le nouveau-né ne vient pas. Quelque chose cloche. Au bout d'une demi-heure, Jonathan prend les choses en main et décide d'utiliser les forceps. En plongeant son gant de latex dans le col de la vache, il vient attraper les pattes du petit pour le tirer vers l'extérieur de toutes ses forces. Puis la libération vient enfin. La vache mugit. Sa douleur transperce l'étable, suivie d'un long silence qui s'installe parmi les meuglements des autres. On respire un instant, rien ne se passe. Malgré les massages vigoureux de Jonathan pour le réanimer, le veau ne vivra pas.

Même encastrée entre deux montagnes enneigées au milieu d'un fjord, la ferme de Jonathan et Una n'est pas vraiment à l'image de la petite exploitation agricole traditionnelle dont je rêvais naïvement depuis la France lorsqu'ils m'ont contacté pour venir les aider. Dans la famille depuis trois ou quatre générations, elle a évolué au gré des époques qu'elle a traversées. La maison principale où Jonathan est né n'est plus qu'une ruine qui sert d'atelier et d'entrepôt pour un bric-à-brac d'objets cassés et d'outils à réparer. Les équipements sont modernes, l'activité orientée vers le rendement et la productivité. Ici, les vaches se font traire par un robot qui fonctionne vingt-quatre heures sur vingt-quatre et qui enregistre automatiquement la quantité de lait que chacune d'entre elles produit. Au cœur d'un appareil de production laitière, l'organisation est scientifique et tout est mesuré. Cependant, ce n'est pas l'usine non plus, et la mort de ce veau affecte vraiment Jonathan. Ce genre de chose n'arrive pas souvent. Clémentine aussi est un peu choquée, même si elle ne le dit pas. Moi, je le suis, mais je préfère me taire pour ne pas dire de bêtise. Elle a tout vu. Comme moi, elle ne peut pas s'empêcher de penser à notre enfant qui naîtra bientôt. La ferme nous renvoie à notre condition d'animaux. Que nous arriverait-il s'il ne vivait pas lui non plus ?

En quelques heures, l'hiver a rendu sa couverture blanche. Le printemps s'est installé avec ses grosses touffes d'herbe jaune comme s'il avait toujours été là. Des routes qu'on ne devinait pas hier sous la neige apparaissent soudainement, et le fond du fjord qui avait l'air inatteignable semble tout à coup à portée de la prochaine promenade. Les températures sont à nouveau positives, l'air se réchauffe un peu en dépit d'un vent glacial qui commence à souffler. Les Islandais font des barbecues dès que la température passe au-dessus des dix degrés. Nous n'y échappons pas. Clémentine se repose, sa grossesse la fatigue, mais la magie de ce fjord donnera de la vigueur à notre enfant. Quant à moi, dès que j'ai un peu de temps libre, je parcours les sites internet pour préparer l'ascension que je projette de faire avec mon frère dans quelques semaines. Quoi qu'il arrive désormais, je veux être monté au sommet du pic du Midi d'Ossau avant la naissance de mon fils.

Dimanche 2 juillet – 11h20

En haut de la troisième cheminée se trouve une croix de fer forgé signalant la fin des difficultés. C'est un repère pour la descente, car rien ne permet de différencier une pierre d'une autre dans cet endroit où la végétation ne monte pas. Tout n'est que minéral et pierraille. À la lecture des topos qui en font mention, on a supposé en montant que mon père ne l'a jamais retrouvée, et qu'il se serait tué en la cherchant. Tout autour, les falaises tombent à pic, mais j'ai bien vérifié sur la carte et ce n'est pas de là qu'il est tombé. Papa n'a jamais cherché cette croix, peut-être ne l'a-t-il même jamais vue puisqu'il n'avait ni guide ni carte dans son sac. Juste un recueil de psaumes. Il n'avait donc aucun moyen de savoir qu'elle indiquait le chemin à prendre. Une croix et un psautier. Qui restait-il pour continuer à nous faire croire que le Seigneur est un guide ?

L'homme que nous avons croisé avec ses enfants avait raison. La troisième cheminée est une promenade de santé. Elle est plus longue que les autres, mais les pierres tiennent bien. Les prises sont énormes et surtout, la pente n'est jamais suffisamment raide pour y sentir la nécessité d'une corde. Les mains suffisent. Cela me rappelle les pyramides de Tikal, en plein Petén, au cœur de la jungle guatémaltèque. Mille ans passés sous la jungle. Les marches sont édentées, la pente raide comme un soldat nazi, parfois mousseuse, voire vicieuse, mais un peu de vigilance et de temps sec suffisent pour y monter comme un singe.

J'arrive à la croix de fer. Pierre me suit en silence à une bonne vingtaine de mètres. Tout autour de moi, j'observe la majesté tranchante et vertigineuse que je m'imaginais. Cet endroit ne sent ni la vie ni la mort. Il a l'air d'une porte vers un autre monde. Une main, puis un bras, puis la tête de mon frère apparaissent. Un instant plus tard, il se tient à mes côtés. Nous sommes debout face à l'horizon escarpé qui nous entoure.

— C'est beau, n'est-ce pas ? dis-je.

Le sentiment qui s'empare de moi me submerge totalement.

— C'est vrai que c'est beau, répond mon frère, encore un peu essoufflé.

Cette fois, rien ne nous arrêtera plus. Nous ne sommes pas encore au sommet, mais les trois difficultés majeures sont derrière nous. Il n'y a plus qu'à enfiler les pas. Soulagé d'être là, je me sens rescapé d'un naufrage. Alors, mes nerfs craquent et je fonds en larmes en prenant mon frère dans mes bras.

— C'est pour ça que je m'entraîne ! Juste pour ça !

Nous montons encore deux bonnes heures en plein soleil dans les pierres du Rein de Pombie. Sous nos pieds s'étendent quelques centaines de mètres plus bas la vallée d'Ossau et les lacs d'Ayous bordés d'herbe verte et des névés qui résistent à l'été. Les rapaces qui nichent alentour montent et descendent en jouant avec les courants. Que peuvent-ils bien chasser par ici ? Il n'y a rien à part nous. Pierre me suit à nouveau d'un peu loin, me demandant parfois si je suis sûr de l'itinéraire que j'emprunte. Il observe les nuages au loin, l'air inquiet. Et si on se faisait surprendre par le mauvais temps ? Cela m'agace, mais je ne dis rien. Je me contente de suivre les cairns en respirant fort pour me vider l'esprit et purger nos chagrins. Nous sommes si lents que de nombreux randonneurs nous ont déjà dépassés. Certains redescendent déjà du sommet, que nous apercevons toujours au loin mais qui se rapproche à mesure que nous avançons. Parfois, nous marchons dans la neige. Pour la contourner, nous faisons de petits détours et le précipice réapparaît tout à coup. Papa a-t-il fait un pas de trop ? Au fond, ce n'est pas si dur. Dire que j'ai attendu quinze ans pour revenir ici ! Le sommet nous tend la main. On dirait qu'il voudrait tout reprendre à zéro.

Nous sommes à quelques mètres de lui, une longueur de corde. Le temps d'admirer la vue et de prendre une photo avant de franchir le dernier pont de pierre qui nous fera enjamber un vide et monter sur l'arête. Il n'y a pas une onde de vent. La pierre est sèche comme le maquis et mon corps répond à merveille. Autour de nous, le gouffre est gigantesque. La falaise s'enfonce dans le vide de façon si abrupte qu'elle semble creuser la terre et disparaître sous nos pieds en nous interdisant d'en deviner la fin. C'est de ce côté-là que papa est tombé. Un regard me suffit pour le comprendre. Ce n'est pas aérien, c'est astral.

Voici enfin les images qui manquaient à l'histoire. La chute a dû être terrible.

Je regarde la carte, tente une nouvelle fois de m'expliquer son itinéraire. On l'a retrouvé à un endroit où il ne pouvait pas se rendre autrement qu'en volant. Pierre et moi nous asseyons en silence. Je ne sais pas lequel d'entre nous a pris la parole en premier :

— Ça fait quand même une sacrée chute.

— C'est sûr qu'il ne pouvait pas se louper.

— Il a dû se sentir bien con quand il a réalisé sa connerie.

Nous sommes restés là de longues minutes, assis sur une pierre à regarder le sommet et les trente derniers mètres qui nous en séparaient. Nous n'avons jamais osé les franchir. J'ai serré mon frère dans mes bras. En arrivant en haut, j'ai compris qu'aucun sommet ne vaut un père. Nous aimions le nôtre, mais ce n'était qu'un imbécile.

Ísafjörður – Paris
avril – décembre 2017

Épilogue

Nous descendons en pressant le pas pour attraper notre avion, tirant des rappels sur la corde des Espagnols que nous avons rencontrés au refuge et qui acceptent de la partager avec nous. Mes ruminements pendant la montée m'ont tant usé le moral que la fatigue me foudroie en prenant un peu d'avance sur le programme. Pierre, au contraire, retrouve sa vigueur. À mesure que nous descendons, il revit. Une fois au pied de la première cheminée, je le vois prendre les devants et se mettre à courir alors que je le traîne derrière moi depuis l'aube. J'ai soif. Les bouteilles sont vides. Déshydraté sous ce soleil, les crampes commencent à me limer le cou et mon genou à me faire mal. Je baisse le rythme et cède un peu de terrain, suffisamment pour permettre à mon frère de retrouver son rôle d'aîné.

Lorsque j'arrive au refuge, il m'a devancé et me tend une bouteille d'eau fraîche.

— Tu veux faire une pause ? C'est pas grave si on loupe l'avion, tu sais.

Je suis cuit.

— Nan, c'est bon. On rentre à Paris.

Ce que nous voulons l'un et l'autre plus que tout, c'est retrouver nos femmes et le confort de nos foyers. De retour au parking, nous nous changeons devant la voiture en avalant nos sandwichs et prenons la route sans tarder. Dans les virages qui nous ramènent à Pau, cette fois, c'est Pierre qui conduit. Cent fois j'aurais dépassé et appuyé sur l'accélérateur, mais je ne dis rien, sachant le fond de sa pensée. On ne meurt pas pour un sommet, on ne va quand même pas se foutre en l'air pour un avion. Malgré le temps qui joue contre nous, mon frère demeure fidèle à ses règles de vie, prudent et réfléchi. L'histoire lui donne raison. Nous arrivons en avance. L'avion a une heure de retard.

— Alors ? demande ma mère. Tout s'est bien passé ?

Nous avons promis de l'appeler dès notre retour. Elle est sur haut-parleur dans la voiture.

— Oui, super.

— Vous avez eu beau temps ?

— Oui, la météo était parfaite. Les conditions idéales.

— Et ce n'était pas trop dur ?

— Disons que c'était une bonne journée de marche.

— Et là, vous êtes où ?

— En route pour l'aéroport.

— C'est bien, les enfants. Papa serait fier de vous. Bon retour. Allez, je vous laisse, on en parle ce week-end, parce que Félix…

Nous n'en reparlerons jamais. Au fond, cette ascension ne change rien de ce que nous sommes déjà.

Six semaines plus tard, sur le dôme du Goûter, à quelques centaines de mètres du sommet du Mont-Blanc, je croise un type qui doit avoir mon âge. L'aube se lèvera bientôt. Cela fait quatre heures que nous marchons sous les étoiles. Notre cordée fait partie des premières à avoir quitté le refuge dans la nuit. Le rythme est bon, nous sommes en forme et bien entraînés. Le ciel est dégagé, les conditions idéales. La matinée promet d'être belle. Grimper sur le toit de l'Europe est ma façon de dépasser mon père en disant à la vie qu'elle ne m'imposera pas mes peurs.

Ce type est seul. Il descend déjà tandis que tout le monde monte. Certains alpinistes expérimentés font des ascensions en solitaire, mais celui-là est d'une autre espèce, cela se voit au premier coup d'œil. Nous sommes à plus de quatre mille cinq cents mètres d'altitude en pleine nuit et il a l'air de partir à la plage. Il ne porte aux pieds qu'une paire de baskets. Pas de crampons, pas de casque ni de piolet. C'est un traileur. Un de ces champions des épreuves d'endurance en montagne. Dans quelques jours aura lieu l'UTMB, la course mythique autour du Mont-Blanc réputée pour être l'une des plus dures du monde. Dix mille mètres de dénivelé et cent soixante-dix kilomètres à avaler sans dormir. Il doit être là pour s'entraîner car il nous affirme être parti des Houches dans la nuit, c'est trois mille mètres plus bas. Je ne me souviens que de ses yeux, et de m'être dit qu'il allait mourir.

La pente était raide. La glace était dure. Il a glissé. Lorsque nous descendons du sommet, l'hélicoptère du PGHM survole une pente crevassée sur laquelle on ne passe pas. En bas, nous apercevons un point noir. Le corps d'un homme immobile.

DANS LA MÊME COLLECTION

J'ai quarante-et-un ans. Ce livre, je le ressens alors
qu'il se termine, constitue un trait d'union entre les deux
pratiques d'écriture qui sont aujourd'hui les miennes.
Écrire sur les autres, écrire sur soi, écrire, tout court. Mes
écrivains, ceux que je lis, que j'ai lus, m'ont, malgré eux,
mené à moi, à ce je auquel, quoi qu'on en dise, on revient
toujours. Ils me font advenir dans ce texte, sinon comme
un écrivain, du moins comme un je qui écrit. Qui s'écrit.

Mes écrivains, Arnaud Genon
ISBN 979-10-93552-77-4

WWW.EDITIONSDELAREMANENCE.FR

SUIVEZ-NOUS SUR

@EditionsdelaRemanence

@ed_remanence

@editionsdelaremanence

@editions-de-la-remanence

IMPRESSION : BOOKS ON DEMAND, GMBH
NORDERSTEDT, ALLEMAGNE
DÉPÔT LÉGAL : JUIN 2020